SHODENSHA
SHINSHO

日本は戦争に連れてゆかれる

――狂人日記2020

副島隆彦

祥伝社新書

日本は戦争に連れてゆかれる

目次

第1章 翼賛(よくさん)体制への道——80年前と現在 9

第2章 次の「大きな戦争（ラージ・ウォー）」と日本 75

第3章　新型コロナウイルスの真実　113

第4章　暗い未来を見通す　153

第1章

翼賛(よくさん)体制への道——80年前と現在

歴史は繰り返す

1990

日本のバブル

日経平均最高値（1989年末がピーク）

バブル破裂

日本は長期不況に入った

2008

米リーマン・ショック（9／15）

米政府が隠れ大借金を抱え始めた
中国が隆盛する

2011

東日本大震災 大津波と原発事故（3／11）

日本は長期不況のまま
米、欧、日の財政赤字激増

1700年代から200年間の
ヨーロッパの大繁栄

1990

第一次世界大戦（WWⅠ）

ヨーロッパは焼け野が原で没落
日本は戦争景気で船成金が出現
アメリカに世界覇権が移った

1923

関東大震災（9／1）

復興債（赤字財政）が重荷に

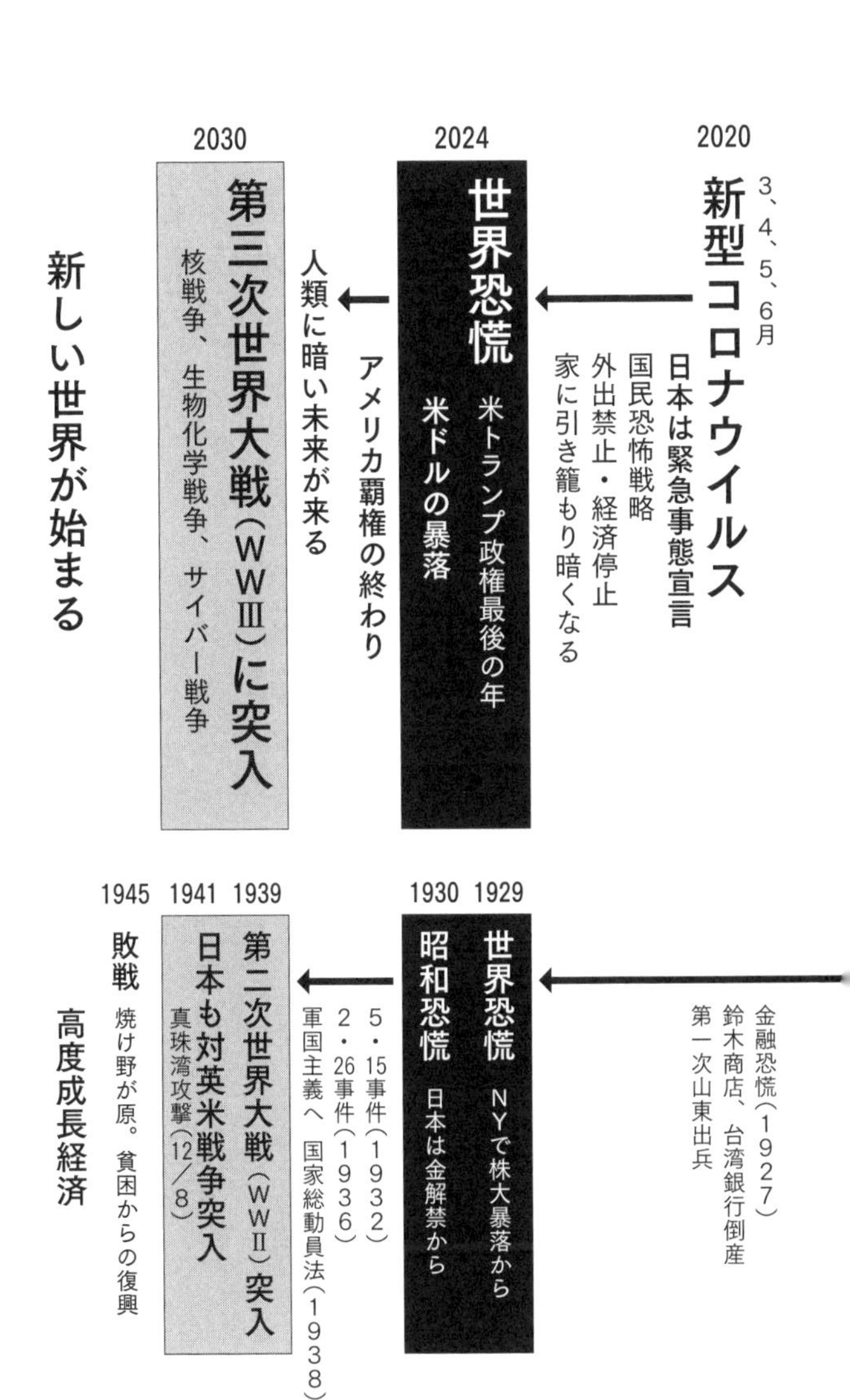

年表の説明は、P20などにある

私が狂人なのか、周囲が集団発狂状態なのか

7月×日

私はこの本を、独白体（どくはくたい）、すなわちモノローグ（monologue）で書く。つい最近（半年前）の、過去からの時間の流れに従って今までを書く。そして未来を見通す。

私は今、海が見える崖（がけ）の上の家で、一人で暮らしている。相模湾（さがみ）越しに、南に大島（おおしま）、東に三浦（みうら）半島があって、その向こうには遠く東京の街が見える。本当は、東京が見えるはずがない。しかし私の心眼（しんがん）は、いつも東京を見ている。フランスの思想家のモンテーニュ Michel Eyquem de Montaigne（ミシエル エイクエム ドウ モンテーニユ）（1533－1592）と同じ暮らし方をしたいと思っている。

モンテーニュは、ある日突然（1571年）、仕事を辞めて山の上にある自分の屋敷の塔に籠（こ）もった。そこで『随想録』（エセー）を書いた。だから彼に倣（なら）って、私も現世のいろいろな災（わざわ）いや揉（も）め事から逃れ、崖の上の塔のような家に籠もって、冷ややかに人間（人類）世界の下界（げかい）を眺（なが）める。

私は周りの人たちから、〝狂人〟だと言われている。前は〝狂犬副島〟と一部に呼ばれていた。今はワンコロ（犬畜生）から人間になった。これまで多くの人から「あなたとは、もう話が合わない」と言われた。そして疎遠になった。絶縁というほどではない。それでも私には今も数人の友だちがいるし、世の中を拒絶しているわけではない。私は世捨て人ではない。昔、小林秀雄が「世捨て人とは、自ら世を捨てたのではなく、世に捨てられた人である」と書いた。私はこっちに近い。けれども、多くの人々は「もう話が合わない」である。

私は、自分が書いていることが今の世の中の大勢の人に受け入れられることはない、と分かった。なぜなら周りから見たら、私の書いていることは、あまりに枠から外れていて、およそ普通の人々の考えとは違うからである。

私は本気で書く。今の日本人（の多く）は、新型コロナウイルスのせいで、すでに集団発狂状態に入っている。私はそう判断している。私から見たら、日本人（日本国民）の多くが狂っているのだ。だが彼らはそうは考えない。いつも自分たちは正常だと思い込んでいる。だから私は、彼らから狂人扱いされる。

私は、コロナ、コロナで騒いでいる人たちが大嫌いだ。（2020年）3月から、私は「コロナ馬鹿騒ぎ」と書いた。「こんな、ただのインフルエンザで誰が死ぬか。死ぬのは老人どもと病気持ちだけだ」と書いた。これを書くと、とたんに嫌われて、相手にされなくなった。私はそれでも構わない、と思った。

私が狂っているのか。それとも日本人が集団発狂しているのか。このことをはっきりさせたい。だから本書を『狂人日記2020』と名づけた。

7月×日

もう半年が経つ。この2020年2月3日の夜に、ダイヤモンド・プリンセス号が横浜の大黒埠頭に接岸した。このクルーザー（外洋船。観光用の大きな船）は、乗客2666人、乗員1045人で合計3711人が乗る大きな船だ。この中に新型コロナウイルスの感染者がいたことが分かった（2月1日）。それで検疫が行なわれた。

検疫を英語で「クオランティーン」quarantine と言う。感染者の合計は712人（死亡13人）になった。ダイヤモンド・プリンセス号が横浜港に着いて、新型コロナウイルスの感染者が自分たちのすぐ近くにいると分かったときから、日本人は大騒ぎを始めた。船に乗ったり降りたりしている、異様な、宇宙人のような恰好をした人々を見ているうちに、日本人は集団発狂状態に陥った。

岩田医師の動画（ YouTube から）

この船に、災害派遣医療チームの一員として、神戸大学教授で感染症医学とウイルス学の専門医である岩田健太郎医師（49歳）が入った。ところが厚生労働省の幹部と、副大臣の橋本岳（橋本龍太郎の息子）に「お前、出て行け」と言われて下船した。驚いた岩田医師は、その日のうちに、自己隔離をした部屋から YouTube に「船内はむちゃくちゃな状態です。この悲惨な状況を知ってほしい」と自分で動画をアップロードした。「自分も感染したかもしれないから隔離している」と言いながら、YouTube に投稿した。これが2月18日だった。「降りろ、出て行け」と言われたのと同じ日だ。

この動画は1日で50万人が見た（PV、視聴回数）。私が見たときには150万になっていた。だが、2日後の2月20日に岩田医師本人が「（厚労省による）船内の情報公開が進んで、動画の役割は達成された」と削除した。彼がイギリスBBCのインタビューに英語で答えている映像もあった。これも今は見られなくなっている。

私は、感染症医学やウイルス学は何も知らない。だが、岩田教授の主張を聞いて、新型コロナウイルスは日本にも上陸しており大騒ぎになると知った。

私は、それほど騒ぐことではない、と思っていた。このあと日本国民のすべてが外出時はマスクをして、それがエチケットになり、それどころかマスクをしない人間は白い目で見られ、嫌われる状況が出現した。電車の中や、人がいるところで激しい咳でもしたら殴られそうになった。そんな危ない感じが、3月から5月にかけてずっと続いた。6月になって緩んだ。私は海の見える高台の崖の上の家から、自分の考えを綴ってゆく。

日本人が戦争にのめり込んだ瞬間

4月15日（7月加筆）

「日本は新型コロナウイルスで40万人が死ぬ」と言い出す医学者（専門医）が出てきた。私は「そんなことを、いくら専門家でも簡単に言うな」と嫌悪した。私は、政府が国民に向かって「危険だからなるべく家にいなさい」などと警戒警報を出すことにすっかり慣れっこになってしまった状況を深く疑うようになった。何かおかしい、と感じた。日本国民が狂騒状態に陥って、おかしなことになってしまった、と遠くのほうから冷ややかな目で見ている。

私の理想は、仙人様になることだ。仙人思想（神仙思想）は、紀元前３００年ごろの古代の中国に生まれた。私は仙人が小さく描かれている掛け軸を何本か持っている。掛け軸を見ると、仙人様はどこにいるか、いつも見つけようとする。縦長の掛け軸には、枯山水と深山に滝と川が流れている。水が落ちる下には、畑のようなものや、牛がいたりして農業をやっている人たちがいる。絵の一番上の、雲がかかる山奥の絶壁に、小さく点のように描かれている人間らしきものがいる。それが仙人である。中国の山水画は、ほとんどこのように、小さな点のように仙人を描く。

中国人に聞いたら「仙人というのは『山に住む人』という意味だ」と答えてくれた。たしかに「仙」は「人」と「山」から出来ている。漢字が身体から滲み出るように分かる中国人に比べて、日本人には、漢字（中国文）は外来の外国語なのだ、とそのとき強く強く思った。そして日本は、この東アジアの漢字文明の一部である。

仙人は世捨て人であるから、山に一人で籠もっている。英語では、これをハーミット hermit と言う。世捨て人になることが、私の理想だ。私は、周りから狂人と言われても構わない。もう、いい齢になったから、世捨て人として生きたい。

それでも、仙人もごはんを食べなければいけないので、雲に乗ってときどき下界に降りてゆく。私は新幹線に乗って東京に出る。日本の伝承で、久米仙人というのがいたそうだ。奈良の吉野の山に籠もっていた仙人様だ。久米仙人は霞だけを食べているわけにいかないので、ときどき雲に乗って下界に降りた。あるとき、空を飛んでいると、吉野川で洗濯をしている女の人の脹脛（ふくらはぎ）が見えた。それで性欲が生じて、雲から転がり落ちた、という有名な話である。私の年齢になると、もう性欲もだんだんなくなってくる。

私の家族（奥さんと息子）は東京にいる。ときどき、帰る。自分はこの海の見える崖の上の家で、一人で呆然（ぼうぜん）と生きている。悠然（ゆうぜん）やら泰然（たいぜん）などという立派なものではない。憐（あわ）れな老人の独居（どっきょ）暮らしである。

猫を4匹飼っている。捨て猫のメスに餌（エサ）をやっていたら、ある日どこかで産んだ4匹の子猫を口にくわえて連れてきた。母猫は疲れて死んでしまった。残された子猫に、仕方がないので餌をやっている。これは自分の責任だ。

猫たちに餌をやりながら、その習性を見ていると、それぞれ個性があって行動も違うことが分かる。注意深くそろそろと動くのもいれば、元気に走り回るのと、餌ばかりしつこく求めるのといろいろだ。身体の弱い猫はじっとしているし、元気なやつは外へ武者修行に出て行って10日ばかり帰ってこない。ボロボロになって帰ってきて、兄弟と餌を食べている。人間だって、人間関係や就職先や運命のきっかけで、遠くに移動して散らばってゆくから、同じところにずっといつく必要もない。

6月×日（7月加筆）

私がこの日記を書くのは、これから先の日本が、どんどんおかしくなっていくことへの危惧の念からだ。

新型コロナウイルスごときで（死んだのはたった１０００人近く。ほとんどは高齢者や既往症のある人たちだ）こんなに騒ぐのだから、政府（権力者たち）は、これからもっと国民を脅かして恐怖に陥れ、国民は集団発狂状態へと連れられてゆくだろう。私にはこのことが未来図として、ありありと見える。だからこの日記を書いている。

一番分かりやすい類推（アナロジー）は、今から79年前の、戦争が始まった瞬間である。太平洋戦争が始まったのは１９４１年の12月だ。１９４１年（昭和16）の日本国はどんな感じだったか。最近は、私は自分の脳で、ある時代をまざまざと再現できるようになった。あのときの緊張した日本国内の雰囲気は、今の２０２０年の様子とそっくりなのだ（P10～11の年表を参照）。

その10年前、１９３１年（昭和６）９月に満州事変が起きて、日本の関東軍が満州を占領した。もう次の年（１９３２年）には満州国を建国した。世界は認めなかった。日本人は、続々と80万人ぐらいが満州を含めて中国大陸に出ていって、居留民となった。彼らは国策会社の南満州鉄道（満鉄）で働いたり、自分で会社を作ったり、中には鉱山主になって儲かる人もいた。日本人はそれを目指して中国大陸に拡張していったのだ。「一旗組」と呼ばれる人たちもいた。宮島郁芳が作詞した「俺も行くから君も行け　狭い日本にゃ住み飽いた　海の彼方にゃ支那がある　支那にゃ四億の民が待つ」（『馬賊の歌』１９２１年作）という歌が流行った。日本の中国侵略（進出とも言う）肯定の歌である。最盛期は２００万人ぐらいの日本人が大陸に出た。

１９３７年（昭和12）７月７日の盧溝橋事件（日華事変、支那事変）のときには、すでに日本軍が10個師団、いつの間にか北支にいた。１個師団が１万５０００人とすると、兵士だけで15万人だ。これには「軍属」と言って、兵士ではない人々を現地でさらに徴用したから、正確には分からない。日本軍全体で30万人ぐらいが中国大陸に侵攻していた。

アメリカ政府は中国政府（蔣介石の国民党政権）の要望を受けて、それら居留民と日本軍、それから公務員や外交官も含めて、すべて日本に戻せ、引き揚げなさいと「日米交渉」（1941年4月から）で要求した。しかし、「そんなこと、今さらできるわけがない」というのが日本人と日本政府の立場だった。結果から見れば、4年後に日本国が戦争に敗れて大日本帝国が崩れたので、そういう大陸に残された人たちは、引揚者として舞鶴や敦賀や博多の港に命からがら逃げ帰ってきた。こんな中国進出（大陸への領土拡張）など、すべきではなかった。ところが、このことを今も日本では国民に教えない。教育しないのだ。

6月×日

「悲惨な戦争体験」というコトバで、多くの日本人の経験がたくさん、たくさん語られ、ＮＨＫや民放のテレビ番組も作られた。悲惨な映像もたくさん、私たちはずっと見てきた。だが私たちは、その大きな全体を知らないのだ。あの戦争全体の、何が、どのような理由、原因で起きて、そして国家間の取り決め（条約）で終わるのか、ということを知らない。ものごとの全体を大きく見る目（頭）がないのだ。
1941年（昭和16）の12月8日の早朝、「大本営発表」で真珠湾攻撃があったとラジオで放送されたとき。NHKが午前7時に流した音源がある。以下に書き写す。

©日本映画社、日本放送協会

開戦の大本営発表を伝える報道映像。当時はまだテレビ放送が始まっていなかった。国民はこれをラジオで聞いた。

「臨時ニュースを申し上げます。臨時ニュースを申し上げます。大本営陸海軍部、12月8日午前6時発表。帝国陸海軍は、本8日未明、西太平洋（ハワイのこと）においてアメリカ、イギリス軍と戦闘状態に入れり。帝国陸海軍は、本8日未明、西太平洋においてアメリカ、イギリス軍と戦闘状態に入れり。今朝、大本営陸海軍部からこのように発表されました」

このラジオ放送で、日本国民の全員が一瞬、騒然となって血相を変えた（だろう）。けれども、次の瞬間から、日本国民は吹っ切れたように、戦争にのめり込んでいった。それまでの鬱屈した（不景気が続いて）感情がドッと溢れ出て、急に晴れ晴れとした気になった。このとき日本人は、一瞬のうちに集団発狂状態に陥ったのだ。すでに中国戦線（支那方面）ではドロ沼の戦争が10年続いていた。

しかし、日本がアメリカと戦争を始めるなどと思っていた日本人は、ほとんどいなかったのだ。日本政府の一番上のほうと、軍部の上のほうのわずかな人間たち以外は、アメリカと戦争するなどとは思いもしなかったのだ。これが真実だ。それなのに一気に吹っ切れたようになって、日本人は集団狂躁状態に突っ走った。このことが怖いことなのだ。

「戦争（開戦）反対」を言う人など誰もいなかった。日本共産党の幹部たちは皆、牢屋（刑務所）に入れられていたから、声を上げることもできない。この事実を日本人は知らない。まさかそんな、と思うだろうが、「戦争反対」の声を上げる者は一人もいなかった。「戦争は嫌だなあ」の厭戦気分（雰囲気）が出てきたのは、2年後の1

９４３年（昭和18）からだ。

だが、戦争に静かに反対した日本人はいた。私は知識として知っている。清沢洌がそうだ。新聞記者出身の外交評論家である。彼は『暗黒日記』（１９５４年刊）という本を書いた。戦争中に「戦争日記」として書き続けた日記が、戦後に本になって出版され、評価された。清沢は、１９３０年のロンドン海軍軍縮会議に特派員の記者として行って、日本政府の代表団と話し込んだインテリだった。

他に、静かに戦争に反対した日本人は、詩人の金子光晴と、アナキスト詩人の秋山清だ。この2人は「戦争は嫌だなあ」と、詩に書いて抵抗した。私の先生の吉本隆明が、『転向論』の中に書いている。

他の日本の知識人たちは、真珠湾攻撃と、そのすぐあと（１９４２年2月）のシンガポール攻略で、吹っ切れたように、それまでの反戦思想を棄てた。岩波書店の社主で、日本の進歩的なリベラル勢力の代表のようだった岩波茂雄でも、それから斎藤茂吉、島崎藤村、高村光太郎、徳富蘇峰らが、一も二もなく開戦に舞い上がった。

昭和恐慌（１９３０年から）の不景気で圧し潰されて鬱屈していた感情が、国民の間から、ドッと溢れ出た。「鬼畜米英」「撃ちてし止まん」「進め一億　火の玉だ」という標語が、急に出てきた。国民は一斉に、翼賛政治体制に流れ込んだ。網走や東京の府中刑務所に捕まっていた日本共産党の最高幹部たちも、言うコトバを喪って、まったく同じようだったろう。彼らも日本人なのだから。

日本の金持ち層（市民の上層）は、「天皇陛下萬歳」「大日本帝国萬歳」「聖戦必捷」を合唱しながら、羽織袴を着けて皇居の周りをぞろぞろと提灯行列で一周した。結婚式に出る正装で、町内会ごとに提灯を持って練り歩いた。東京が火の海となった東京大空襲（１９４５年3月10日）は、その3年3カ月後だ。

人間は、集団として、こんなにも愚かに、容易にコロリと騙され、扇動、洗脳される生き物なのだ。私は深く考え込みながら、79年前の当時と、２０２０年の今とを、大きな類似として見ている。「また騙されて、同じことが起きそうだ」とオロオロしている。今の日本では、坂本龍一や糸井重里のような温厚なリベラル派の知識人たちまでが、コロナ騒ぎの翼賛体制に搦め捕られるような発言をしている。

歴史は繰り返すようである。大政翼賛会が組織され発足したのは、今から80年前の

１９４０年（昭和15）の10月である。政党は皆それぞれ自主的に解散して、翼賛議会の議員になった。知識人、作家たち向けには、「文学報国会」と「言論報国会」が作られた。どちらも会長には徳富蘇峰がなった。２０２０年のコロナ・バカ騒ぎも、私の感じでは、ちょうど80年前の大政翼賛体制とそっくりなのだ。

「日米交渉」の真実

6月×日

今から80年前、日本人は保守層だけでなく、リベラルや左翼だった人たちも含めて皆、対英米戦争にのめり込んだ。日本国民も同様にのめり込んだ。

日本の中学校、高校の社会科の教科書には「ABCD包囲網」、すなわち**A**アメリカ、**B**ブリテン（イギリス）、**C**チャイナ、**D**ダッチ（オランダ）の4つに包囲され経済封鎖（禁輸）されたので、仕方なく日本は戦争に打って出た、という書き方をしている。私たちの世代はそう習ったから、きっと今の若い世代も、そのように習うだろう。これ以外の書き方（説明）はないからだ。

ところが再度書くが、真珠湾攻撃が起きるその日まで、日本国民は、アメリカ合衆国と交戦するなどと思ってもいなかった。政府の要人たちと軍のトップたち以外は、アメリカ合衆国との開戦への動きを知らなかった。何も知らされなかった。この大事なことを日本史学者（昭和史の専門家）たちが書かない。

１９４１年（昭和16）の4月から、「日米交渉」が始まっていた（その準備段階を含めれば2月から）。アメリカ政府はコーデル・ハル国務長官が、「日本は中国から手を引け。政府機関も居留民も、すべて日本国内に引き揚げさせよ」と、初めから要求していた。交渉官（全権公使）の野村吉三郎は海軍大将であって、もともと外交官ではない。助っ人で送られた来栖三郎は外交官だが、日独伊の軍事同盟（三国同盟）を推進した男だ。アメリカに好かれるはずがない。

この2人の日本の高官は、アメリカ側と、真剣な厳しい交渉などしていない。どうもおかしな外交交渉だったのだ。アメリカは初めから日本に戦争を仕掛けさせようと計画していた。このようにしか、今となっては考えようがない。日本はまんまと騙さ

（嵌めら）れたのだ。

交渉の山場では、２人はフランクリン・ローズヴェルト大統領とも会って話した。真剣で切実な交渉に見せながら、どう考えても和気あいあいと話をしている。そして

©Underwood Archives/Universal images group
共同通信イメージズ

日米交渉（1941年11月17日）。右から来栖三郎、コーデル・ハル、野村吉三郎。1941年4月から12月まで8カ月も長丁場が続いた日米交渉は、連日、日本で報道された。のらりくらりとした交渉だった。どうせ日本がアメリカの言うことを聞くとは思っていない。初めから仕組まれていた。

12月には交渉決裂となった。「ハル・ノート」が11月26日に出されて、日本側はそれを「最後通牒」だ、と受け取った。日本は開戦を決定し、12月8日の真珠湾攻撃となる。その前から日本の連合艦隊は動き出していた。択捉島（北方四島の一つ）の単冠湾から11月26日に艦隊は出動、出港して真珠湾攻撃に向かった。６隻の空母が戦闘機と必要人員を満載していた。

アメリカ側は「突然、日本に攻撃された」と言う。だが本当は全部、計画的に仕組まれていたのだ。日本が上手に操られ、先に手を出したように事前に設えられていた。のちに『真珠湾の真実——ルーズベルト欺瞞の日々』（文藝春秋、２００１年刊。ロバート・B・スティネット著。原題 "*Day Of Deceit*, 1999" 「デイ・オブ・デシート」）で明らかにされた。真珠湾攻撃は、アメリカによって上手に、用意周到に実行されたのだ。戦争が始まるときには、そこで暗躍する大きな恐ろしい政治の力が加わる。

アメリカとイギリスは、日本を、まず中国との泥沼の戦争に引き摺り込んでおいて、そのあと日米開戦を仕組んだ。当然、シンガポールや香港など大英帝国（イギリス）が東アジアに持つ拠点への攻撃も予想されていた。日本国民は、アメリカと開戦するなんて思いもよらず、知りもしなかった。

昭和天皇が出席する御前会議が開かれた。昭和16年（1941）には真珠湾攻撃決定までに4回も御前会議があった。開戦を準備する動きは着々と進んでいた。この時点で、すべてアメリカとイギリスに仕組まれていた。日本は、昭和天皇以下、国家指導者たちが騙され、策に陥ちていたのだ。この世界史の真実を、歴史学者を含めて、日本の知識人たちは今もあまり自覚がない。それで一番ひどい目に遭って苦労するのは、一般国民である。

6月×日

日本を代表する知識人たちは、開戦から3年半続いた戦争に、さすがに途中からうんざりしてきて、「日本はどうも敗けるようだ。早く戦争が終わってほしい。生きるのが困難だ」と言い出した。彼らは上層国民だから、日早めに上手に軽井沢や熱海、日光とかに疎開していた。そこから遠く赤く光る夜の空の火を見ていた。東京大空襲の火だ。

どんな国の、どんな戦争も、3年ぐらいで流れが変わる。国民は初めの熱狂がすっかり醒（さ）める。たくさんの死人（外国の前線での兵士たちの死）が出て、国民も「早く終わらないかなあ」と言い出す。

私が、戦争の本を書いていた高齢の人から聞いた話である。「たこの久（きゅう）ちゃん」という歌が国民、特に少年たちの間で流行ったそうだ。昭和19年（1944）になると、外地（外国の戦場）からどんどん白木（しらき）の箱（中は骨壺（こつつぼ））が帰ってくるようになった。戦死した兵士の遺骨である。必ず町内会に噂が広まる。皆で（隣組（となりぐみ）で）「万歳、万歳」と出征兵士を見送ったのだ。それが骨になって帰ってくるのである。もう戦争なんか、やる気が失（う）せる。戦意高揚なんか消えていった。それから本土までも、敵のグラマン機による空襲（エア・レイド）が起きた。このとき国民の間に流行った「たこの久ちゃん」は、たしかこんな歌詞である。

「蛸（たこ）の久ちゃん、骨がない。壺の中に骨がない。久ちゃんの母（かあ）さん、かわいそう」という歌だった。もう骨壺の中に骨すらなくて、空っぽだったのだ。激戦地での戦闘や輸送船の沈没で、骨さえなかったのだ。

これが極限まで追い詰められたときの日本国民の反応だ。明日は我が身で、みんな自分も死ぬのだ、と思うようになった。男たちは40歳までが応召（徴兵）された。人間の歴史は繰り返す。あんなことはもう起こらない、と誰が言えるか。

太宰治（戦後４年目の１９４８年６月に38歳で自殺）は戦争中、戦争に反対しなかった。それでも戦争中は「富士には月見草がよく似合う」と、甲府の峠の茶店の侘しい宿にいて、『富岳百景』と『右大臣実朝』を書いた。『右大臣（源）実朝』の中に「明るさは滅びの姿であろうか。人も家も、暗いうちはまだ滅びはせぬ」（原文はカタカナ）と書いた。今の戦争の、この騒がしさは何だろう。こんなに愚かなことをしていると、日本は滅ぶ、と書いたのだ。そして敗戦で日本国はほろんだ。それでも生き残った国民は、また生きてゆく。

私は、日本知識人の系譜に連なるので、この伝統を次の世代につなぐために、今の現実を正直に書き留めることで自覚的に今の時代を生きている。

緊急事態宣言と戒厳令

3月15日

太平洋戦争が始まる3年前の1938年（昭和13）4月に、すでに国家総動員法（こっかそうどういんほう）が作られた。続けて電力国家管理法というのもできた。国民と資源を国家が統制する時代が、すでに着々と始まっていた。その前年の7月に日華事変（盧溝橋（マルコ・ポーロ・ブリッジ）事件）が起きて、日中戦争が始まったからだ。生徒たち（旧制の中等学校以上）が「勤労奉仕」で工場に駆り出されるようになったのも、このときからである。

世界基準で考えると、この国家総動員令（法）とは、14歳以上40歳以下の全市民を戦争に駆り立てることだ。そのときに使われる恐ろしいコトバが、"Full mobilization !"「フル・モービライゼイション！」だ。このコトバを聞くと、欧米白人はゾッとするらしい。自分たちの血の中の、長い歴史を感じるからだ。映画『猿の惑星』の中で出てきた。日本語で言えば、まさしく「領民（百姓まで）を根こそぎ、全員、戦場に引き立てよ」である。

「ドーン、ドーン」と、お城から陣触(じんぶ)れの太鼓が打ち鳴らされる。かがり火が、一斉に焚(た)かれる。国家の存亡の危機のときは、権力者は何でもする。まず、商人と金持ちたちが、命からがら夜逃げする。

アメリカのトランプ政権が、3月13日に「国家非常事態宣言」を発令した。ただしアメリカは、この法律を割とよく出す。

「トランプ大統領、国家非常事態を宣言　市場の沈静化図る」

トランプ米大統領は3月13日、新型コロナウイルスの感染拡大に対処するため国家非常事態宣言をした。500億ドル（約5兆4千億円）に上る連邦政府の予算を充(あ)て、検査や治療態勢を拡充する。初動の甘さに批判が強まり、経済の先行き不安から米株式市場も暴落を続ける（引用者注。3月16日にはNYダウが1日で3000ドル下落した。記録的な暴落だ）なか、政権として対策への強い姿勢を示す狙いとみられる。

トランプ氏はホワイトハウスのローズガーデンで、ペンス副大統領や保健当局者を従えて会見。「我々がうまくやっていたのは最初だけで、(どうやら)難しい状況に入った。連邦政府の全力を解き放つために国家非常事態を宣言する」と述べた。

今回の宣言は、自然災害などの際、連邦緊急事態管理庁(FEMA(フィーマ))の権限を強め、州政府などを支援できるようにするスタフォード法に基づくもので、連邦政府の予算を柔軟に地方での対策に使えるようになる。

(朝日新聞 2020年3月14日)

この国家非常事態宣言 national emergency declaration「ナショナル・エマージェンシー・デクラレイション」は、戒厳令(かいげんれい)とは違う。

戒厳令(マーシャル・ラー)は、軍隊がクーデターで政治権力を握って、憲法が停止されることだ。憲法(コンスティテューション)を停止すると、国民(市民)の財産権や諸人権(ヒューマン・ライツ)(各種の自由の権利)の保障がなくなる。だからクーデターは恐ろしい。非常事態宣言は、行政権(政)はそのまま持続して、国民の自由(権)をある程度、制限することができる。そのように考える法学の理論である。戒厳令は、日本では１９３６年（昭和11）の「２・26事件」のときに出された。皇道派の青年将校たちの叛乱に対して、天皇の名で発令された。

今の安倍政権は、アメリカの国家非常事態宣言とよく似た法律である「改正特別措置法」という緊急時に発令される法律を成立させた。詳しく書くと「新型インフルエンザ等対策特別措置法の一部を改正する法律」である。「国家の緊急事態だ」ということで野党を押さえつけて、文句を言わせないで、反対する審議さえ行なわずに国会で通した。これには、れいわ新選組（政党名である）の２人の障害者議員だけが反対した。さすがに偉いと私は思う。真の弱者だけが、いざというときには一番、闘うのだ。安倍政権はどさくさで、この特別措置法と一緒に、これまで野党が反対して審議未了で溜まっていた法案を、まとめて一気に通したようだ。

この改正特別措置法（特措法）は即座に3月14日（土）から施行された。この特措法に基づいて、政府（国）は「緊急事態宣言」を出せる。だが、安倍晋三首相は、この3月14日に出せることになった緊急事態宣言を、そのときは「まだ出さない」と言った。緊急事態宣言は4月7日に出された（7つの都府県に対して）。この日からがコロナ騒ぎの本番である。これがズルズルと6月末まで続いた。

私は、特措法の施行の翌日、3月15日（日）に都心の会場で、自分の金融セミナーの開催を強行？した（笑）。私は会場の使用が、「自粛要請」で「実質使用禁止」にさせられるのではないか、と恐れた。だが、私の実施強行のほうが勝った。その翌週だったら、そのころ始まった小池百合子都知事の「強い自粛の要請」で、会場の使用が実質禁止にされていただろう。私は、「絶対に講演会をやる。自粛なんかしない」と固く決めていた。私は、このとき自分の判断の正しさを、自分で今も誇りに思う。私の言論を聴きたい、と集まってくれた参加者との意思の一致が、今も、何よりも頼もしい。

3月16日（7月加筆）

3月15日に私は金融セミナーを開催した。この開催日までにも、新型コロナウイルスの拡がりで、「セミナーを開催するのですか？　普通なら自粛して中止ですよね」

と、問い合わせが来た。それに対して私は「セミナーは予定どおり開催します。何があっても、何が起きようが、実施します」と答えた。

「催し物を中止せよ、という政府命令は、ありません。騒ぎは、日本国内では治まってきている。各県に感染者が出ている、という報道が続いているだけです。不必要で、かつ過剰な心配に対して、それを疑うという生き方こそは、優れた人間のすることです。こういう思考力のある人が、私、副島隆彦の真の読者です。こういうときにこそ、人間は集まらなくてはいけない。そして真剣に意思一致しなければいけない。そこに時代の最先端があります」とお答えした。

セミナーは無事に終わった。とはいうものの、実は私でさえ、当日、会場（都心の大型ホール）に行ってみるまでは、不安だった。本当にホールは開いていて使えるのかな、と。

「安倍政権は、緊急事態宣言を出せる特措法の改正（私権の制限もできる）とかいう、とんでもない法律を今日通した、と報道されたしなあ。トランプ大統領も、昨日の3月13日にコロナウイルス対策で、アメリカ全土に国家非常事態宣言を出したしなあ」と、セミナーの前夜に一人であれこれ考えた。

私は朝の９時半に、日比谷公園の隣の会場のビルの前に立った。

「おう、会場は開いている」と、喜んだ。

ホールの責任者に、事務室に挨拶に行ったら、「ほとんどの催し物は、主催者の自主的な判断で、中止、キャンセルです」と言われた。見たら壁のホワイトボードのスケジュール表が、たくさん消されてほとんど真っ白になっていた。「こんなときに開催してくださるのは、副島先生の会ぐらいのものですよ。ありがたいことです」と、私は責任者から感謝された。

会場（ホール）側は、「公演やリサイタルをやめてください」とは、言っていないのである。すべては自主規制の、自粛というやつである。何ということだろう。

私の金融セミナーは、会場定員（客席数）が５００人で、予約で満席だった。ところが、当日、蓋を開けてみたら、３００人ぐらいしか来場しなかった。手伝いの若い女性たちに聞いたら、「コロナウイルスの感染がコワイようです」と、口を揃えて言う。私は、こんなものは怖くないから、驚いた。来場者は、必死の思いで、私の話を聴きに来たのだ。マスクをしている人が半分ぐらいいた。この３月15日は、全国でマスクをしている人は、まだそんなにいなかった。

開戦から３年３カ月後、東京は丸焼けにされた

７月×日

緊急事態宣言は翌月の４月７日に出された。それが全国で一応、解除になったのは５月25日である。「一応」としか言いようがない。なぜなら、このあともズルズルと緊急事態が続いているように、政府が発表し続けたからだ。緊急事態の自粛が全面解除されたのは６月19日である。ところが今度は、７月になって「東京で２次感染（新聞やテレビは「第２波(は)」と言っている）の恐れが」と言い出した。私は呆(あき)れ返って、何も言いたくなくなった。

私は、あの２０２０年２月から始まった「新型コロナウイルスがコワイ、コワイ」のバカ騒ぎは何だったのかと思い返している。私は「コロナウイルスなんかで騒いで

いる連中は馬鹿だ。みんな騙されているんだ」と言い（書き）続けた。私は嫌がられて、狂人扱いされた。そんなことは構わない。私は孤立を恐れない。

日本人は集団発狂状態に陥った。人々は扇動された。日本全国で、恐怖心に駆られた民衆が、雪崩のようにコロナ恐怖症に罹った。新型コロナウイルス（COVID-19）は、例年流行するインフルエンザと同じくらいの致死率しかない。いや、それよりも低い。感染力も、普通のインフルエンザよりずっと弱い。それなのに、人々はひどく怯えた。それで家から出なくなった。経済活動が激しく低下した。「コロナは経済を殺した」というコトバが生まれた。これは4月から世界的な現象となった。

日本のコロナ騒ぎは、戦前（１９４１年＝昭和16から）の大政翼賛への動きと同じだ。真珠湾攻撃のあとと似ている。前述したとおり、１９４１年の12月８日、大本営発表をラジオで聞いた普通の国民は、「日本はこの戦争に勝つ」と思い込んだ。それが大間違いの始まりだ。日本人は集団発狂した。

国家統制の組織である大政翼賛会ができ始めたのは、１９４０年（昭和15）10月である。近衛文麿内閣のときだ。ドイツでナチス政権が１９３３年から実行した、議会閉鎖の総動員体制（フル・モービライゼーション）の真似である。この大政翼賛会が、対英米開戦の２年目の１９４２年（昭和17）11月に、「国民決意の標語」なるものを募集した。このとき、何十万通もの応募があった。そして選ばれたのが、有名な「欲しがりません　勝つまでは」だ。

国家非常事態で国民が集団洗脳状態に陥ると、この「欲しがりません　勝つまでは」のような、奇妙な標語（スローガン）が流行する。そしてみんなで唱和（しょうわ）する。ラジオと新聞が率先して扇動した。「鬼畜米英」「贅沢（ぜいたく）は敵だ」「進め一億　火の玉だ」と同じく、戦時中の日本人が唱（とな）えたスローガンだ。

今の日本はどうか。「3密（さんみつ）を避けましょう」「ステイホーム」「おうちで」「新しい生活様式」。こんなコトバ（標語）を、国民も新聞もテレビも、誰もが疑うことなく、はやし立てた。「ステイホーム」を流行らせたのは、東京都知事の小池百合子だ。カイロ大学を首席で卒業した、と自称してきた。が、それが嘘だと暴露された。

英語では「ステイホーム」Stay home ではなくて、本当は「シェルター・イン・プレイス」Shelter in place と言う。外出をやめて屋内に退避することだ。けれどもこのあと、アメリカでコロナウイルス対策をやっている疾病予防管理センター（CDC Centers for Disease Control and Prevention ）のウェブサイトでさえ“Stay home as much as possible ”と書いている。Stay home! は、犬コロを相手に「静かにしておウチにいなさい！」と使うコトバだ。

戦時中の「欲しがりません 勝つまでは」と、今の「ステイホーム」は、よく似ている。自分たちの脳で考えない。上から命令されて、何も考えないでそれに従う態度だ。こういうコトバを疑問に思わず、何かいいことだと思い込んでいる。ちょっと待てよ、おかしいな、と疑うことをしない。だから今は、あの真珠湾攻撃の直後とそっくりだ。「緊急事態ですから」は、「こういうご時世ですから」と同じだ。自分がコロナウイルスに感染したらどうしよう。それを人様（他の人）にうつすことまで考える。そうやって自主規制（自粛）の思考が大手を振って歩き出した。

4月×日

真珠湾の奇襲攻撃では、日本の連合艦隊（米海軍なら機動部隊）が、アメリカの軍艦を合計6隻沈めた。2400人ぐらいの米兵が死んだ。計画していた第2波攻撃はやらないで、さっさと作戦終了にして帰ってきた。

戦争を始めた以上、ハワイの次のサンフランシスコ上陸やパナマ運河の爆撃破壊（これで米軍の空母艦隊が太平洋に出てこられない）をするべきだった。それらはすべて中止された。あとは防戦一方になった。なぜか、南のほうのインドネシアからニューギニア方面の占領に向かった。奇妙な戦争の仕方なのだ。歴史にはいつも大きな謎がつきまとう。そして開戦からわずか3年3カ月後には、日本は焼け野が原になった。

1945年3月10日。この日の午前0時から、米軍のB29爆撃機が179機の大編隊を組んで、東京の上空から焼夷弾を投下した。東京大空襲である。サーチライト（照空灯）に照らされて、B29の白く輝くジュラルミンの機体が、人々にはっきりと見えたという。東京の東側は一夜で灰燼に帰した。

東京の下町の深川区（今の江東区）と本所区（今の墨田区）が主な標的になった。下町には軍需用の町工場がたくさんあった。人口も密集していた。工場施設に勤労動員で駆り出されていた学生たちも、たくさん死んだ。主に下町の人間たちが焼き殺された。隅田川に逃げて、熱湯の中で溺れ死んだ人たちもいた。3月10日の死者は8万人とも10万人とも言われる。もっと多かったらしい。その後、政府が正確に数えられなかった。家族ごと、地区ごと焼け死んだので、もう分からないのだ。

対英米開戦で日本国民はワッと舞い上がった。一気に吹っ切れたように戦争にのめり込んだ。そのわずか3年3カ月後に、このような結末となった。だから私たちは、一時の熱狂と騒然で我を忘れてはいけないのだ。常に、そのあとどうなるか、を冷静に考え詰めなければいけない。ここで真に賢い人間と、「先のことなんか、どうなるか分かるもんか」とすぐに吐き捨てる人間に差が出る。

人間が丸焼けになって、街が焼け野が原になるという事態になった。私は、この75年前と同じことが、また起きるだろうと本気で思っている。

4月×日

東京大空襲の3月10日の夜が明けると、下町のそこら中に、真っ黒に炭化した死体が転がっていた。その光景を絵に描いたのが、〝放浪の画家〟で貼絵の作品で戦後有名になった山下清だ。
山下清は浅草の生まれで、小さい頃に高熱を出して頭に障害を持った。のちにサヴ

©石川光陽

東京大空襲の遺体。火葬が追いつかず、寺の境内にしばらく安置されていた。

山下清『東京のやけたとこ』

ァン症候群と解明された。私も軽度のサヴァン症候群であることを自覚している。だから山下清を理解できる。

　山下清は脳に障害があるために、千葉県の養護施設に預けられたのだが、１９４０年（昭和15）に、その施設から脱走して野宿（ホームレス）の暮らしをした。自分にも召集令状が来て兵隊にとられるのが怖かったからと、のちに述懐している。

　山下清は東京が大変な空襲に襲われたと聞き、親や弟が心配になって、実家のある浅草に向かった。鉄道の線路の上を歩いていった。どうせ汽車は動いていない。戦後も人々は線路を歩いて移動した。きれいな道路などなかったからだ。そして山下清は空襲直後の東京の下町を目撃した。それを『東京のやけたとこ』という絵にした。真っ黒こげの死体があちこちに散らばっているのが正確に描かれている。

　このあと、それらの死体は山積みにされた。死体を放置しておくと、半日で腐敗して異臭が出る。それらを処理しなければいけない。軍隊や生き残った人たちが招集されて、落ちていたトタン板に針金を通して〝もっこ〟（担架）を作り、それに死体を載せて運んだ。公園や広場に集めたうえで、穴を掘って死体をまとめて埋めた。それらは5年ぐらいしてから敗戦後に掘り起こされて、ようやく火葬にした。その跡地は、今もあちこちの公園の名前になっている。どこか気持ちの悪い樹木が、まばらに立っている。正確には「仮埋葬地」という戦争遺跡になっている。

焼死体は誰が誰だか判別できない。本所（今の墨田区）に住んでいた明治生まれの女の人は、4人の子どもを連れて火から逃げたが、下の子ども2人を亡くした。どこをどう捜(さが)しても、2人の子どもはいなかった。捜しても死体が見つからない。彼女はどうしたか。自分の子どもと同じ年恰好(としかっこう)の小さな焼死体を見つけると、その口を自分の手で開けていった。どうにか歯並びで分からないか、と次々と死体の口を開けた。それでも見つけることはできなかったという。

そういう空襲体験者たちが、全国の都市にいた。なぜなら米軍機による空襲(エアレイド)は、東京大空襲のあと、日本の主要都市すべてを順番に無差別爆撃していったからだ。3月から8月の敗戦まで続いた。その最後が、8月6日の広島と9日の長崎への原爆（アトミック・ボム。現在は核兵器＝ニュークレア・ウェポンと言う）の投下である。それまでグズグズと、まだ「少しはよい条件で停戦できないか」と愚かなことを考えていた日本政府は、天皇とともに真っ青になって無条件降伏した（8月15日）。
私は10年ぐらい前に知ったのだが、別の悲しい話もある。小学生だった子どもたちだけが学童疎開していて、終戦で東京に帰ってきたら両親が死んでいた、という悲惨な場合もあった。この子どもたちは、戦争浮浪児になった。焼け跡に掘っ立て小屋を建て、食うや食わずで大人が生きていくだけでも大変だった敗戦直後に、6歳とか8歳の子どもが放り出されたのである。浮浪児たちは地下道やトンネルのような場所で暮らすしかなかった。泥まみれのままだ。

1986年（昭和61）からの〝狂乱地価〟で不動産バブルが起きた。このときの〝バブル長者〟の有名な一人に「麻布自動車」と「麻布建物」の創業者である渡辺喜太郎氏がいる。渡辺氏は東京大空襲で両親を亡くした戦災孤児だ。私は2回、渡辺氏と会って話をしたことがある。立派な人物だった。戦後、裸足で麻布に移ってきて、自動車の修理業で生きた。そこから這い上がって麻布自動車を創業した。そのように話してくれた。

渡辺氏は、1934年（昭和9）に、深川（今の江東区）で生まれた。お姉さんと妹さんがいたが、東京大空襲のときは、渡辺氏だけが学童疎開していた。空襲のあと、生き残っていたお姉さんから「私は川に飛び込んで、見上げると橋の上でお母さんと妹が赤く焼かれていた」と聞かされて号泣したという。

この東京大空襲では下町だけが焼かれた。山の手の住宅街や、官庁街や皇居は爆撃されていない（5月25日と26日の空襲では都心も爆撃された）。それは「停戦（終戦）の交渉相手である日本の政府を爆撃で消滅させると、交渉ができなくなるからだ」というのである。戦争（ウオーフエア）とは、このように残酷なものなのだ。その国の支配者や権力者たちは、総体として打ち倒されないようにできている。少数の戦争犯罪者（ウオー・クリミナルズ）（戦犯（せんぱん））だけが、非人道的な戦争開始責任と戦争遂行（すいこう）責任を問われて、戦勝国（連合諸国（ユナイテッド・ネイションズ））の軍事法廷（tribunal　トリビューナルと言う）で裁かれて処刑された。

第一次世界大戦で日本は大儲けした

4月×日（7月加筆）

それでは、日本はどのようにこの戦争（第二次世界大戦、ＷＷⅡ）へ突き進んでいったのか。その前の第一次世界大戦（ＷＷⅠ）からの流れを大柄に見てゆく（P10〜11の年表の下段）。

第一次世界大戦は、１００年前の１９１４年7月に始まった。終わったのは１９１8年11月だ。１９１9年に講和条約（ベルサイユ条約）が結ばれた。参戦した国は全部で25カ国である。4年間の戦争でヨーロッパの主要都市が燃えて、ヨーロッパ経済は壊滅状態になった。ところが、それからわずか20年後（１９３9年9月）に第二次大戦が起きたのだ。戦争をし足りなかった、と言わんばかりだ。

日本は日英同盟（１９０2年）を結んでいたことを口実に、ドイツに宣戦布告して参戦（１９１4年8月）。日本の狙いは、これを機会に中国大陸に進出するためだった。日本軍はドイツが中国から割譲、支配していた青島を爆撃、出兵して占領し、接収した。私は青島に行ってみて分かったが、遼東半島の付け根のところに膠州湾という丸い湾があって、その奥に青島という軍港があった。その次の年（１９１５年１月）には、日本は中国（袁世凱政府）に「対華21カ条要求」を出した。中国民衆の激しい抗議を受けた。

戦争をすることで、大きな経済の需要（軍需）が生まれる。景気がよくなる。第一次世界大戦で日本の重化学工業が発達し、外国への輸出量も増大した。投機熱が高まって株価の暴騰（激しい上昇）が始まった。戦争景気である。日本がやったことは〝火事場泥棒〟である。このことへの報いは、のちに来た。ズルいことをすると、あとで必ずしっぺ返しが来るものなのだ。

中でも日本の海運と造船業がずば抜けて成長した。世界的に船が不足していたからだ。世界はいくらでも船を必要とした。海運業が栄えた。日本の造船の量は世界で3番目になった。このとき出現したのが、「船成金」と呼ばれる海運業者たちである。神戸の内田信也と山下亀三郎が代表だ。企業（商社）なら鈴木商店である。この鈴木商店は、のちに倒産する。

アメリカも日本と同じように、戦争景気に沸いた。戦争で火の海になっているのはヨーロッパである。日本とアメリカは〝漁夫の利〟を得て、他人の不幸でボロ儲けした。これが次のＷＷⅡで手ひどい復讐を受けた。

アメリカは１９１７年４月になってから、ようやく参戦している。この戦争は、初めからアメリカが大きく仕組んだのだ。

この第一次世界大戦が終わって５年、日本の戦争景気（火事場泥棒）も一段落した。日本で何が起きたか。関東大震災だ。１９２３年（大正12）９月１日である。東京から横浜、東海地方にかけて、都市部が地震に続いた火災で瓦礫の山になった。10万人以上が死んだ。日本政府は「帝都復興院」を作って、都市の復旧と被災者の救済の計画を立てた。帝都復興院の責任者（総裁）に選ばれたのは、内務大臣だった後藤新平である。彼はその前に、台湾総督府で一財産を築いていた。後藤は復興に必要な資金を集めるために、「復興債」（「復興貯蓄債券」という名前だった）を発行すると決めた。当時の金額で６億円。ＧＮＰ（国内総生産。今はＧＤＰ）の４％の規模だというから、今なら23兆円ぐらいだ。今の日本のＧＤＰは５７０兆円である。当時（１９

２３年）のＧＤＰは１５０億円である。

日本は第一次世界大戦中のヨーロッパ向けの戦争特需で大儲けして、対外債権国（輸出超過。大黒字国）になっていた。スエズ運河には、鈴木商店のマークを付けた大型輸送船が数珠つなぎで並んでいた。戦争景気で潤った日本は大繁栄して、船成金が隆盛した。日本列島は形からして、グルリと海に囲まれた海運業と造船業の国なのである。

ところが、この復興債という政府の大借金が徐々に重荷になった。翌年には赤字財政に転落した。さらに「震災手形」と呼ばれて、関東大震災のために信用をなくして流通できなくなった手形（誰も引き受け、割引、買い取りしてくれない約束手形）が大量に不良債権化していた。企業が、大景気のあとの隠れ借金を雪だるま式に抱えていた。

関東大震災の復興債発行と同じことが、80年前の戦争中でも断行された。軍事費（戦費）を調達するために、「戦時国債」（公債）というのを発行した。政府が戦時国債を発行して、それを日銀が引き受けた。街のタバコ屋さんでも戦時国債が買えた。１

937年（昭和12）から終戦（敗戦）の1945年（昭和20）までの8年間で、次々と発行、販売された。そうやって増発された戦時国債（国家の借金証書）の残高は、当時の額面で総額1500億円だ。大卒の初任給で比較、換算すると、今なら400兆円である。この戦時国債は、日本の敗戦で、すべて紙クズ（デフォールト）になった。

そして昭和に入ると（1926年12月に改元）、すぐに恐慌が起きた。「金融恐慌（昭和2年）」と言う。1927年（昭和2）の3月に、大蔵大臣の片岡直温が、衆議院予算委員会で「今日、東京渡辺銀行がとうとう破綻しました」と失言（放言）してしまった。

これをきっかけに、取りつけ騒ぎ（バンク・ラン bank running）の大騒ぎが続々と起きて、銀行が70行ぐらい連鎖的に倒産した。人々は、慌てて自分の預金を引き出そうと銀行に押しかけて、玄関の鉄の扉を叩いて騒いだ。大半の小金持ちたちは、銀行で静かに列を作って預金を下ろした。いったんは落ち着いた。

ところがこの2年後（1929年）の10月に、ニューヨークの株式市場で大暴落が起きた。世界恐慌（ワールド・デプレッション）突入の合図となった。これと同じこと

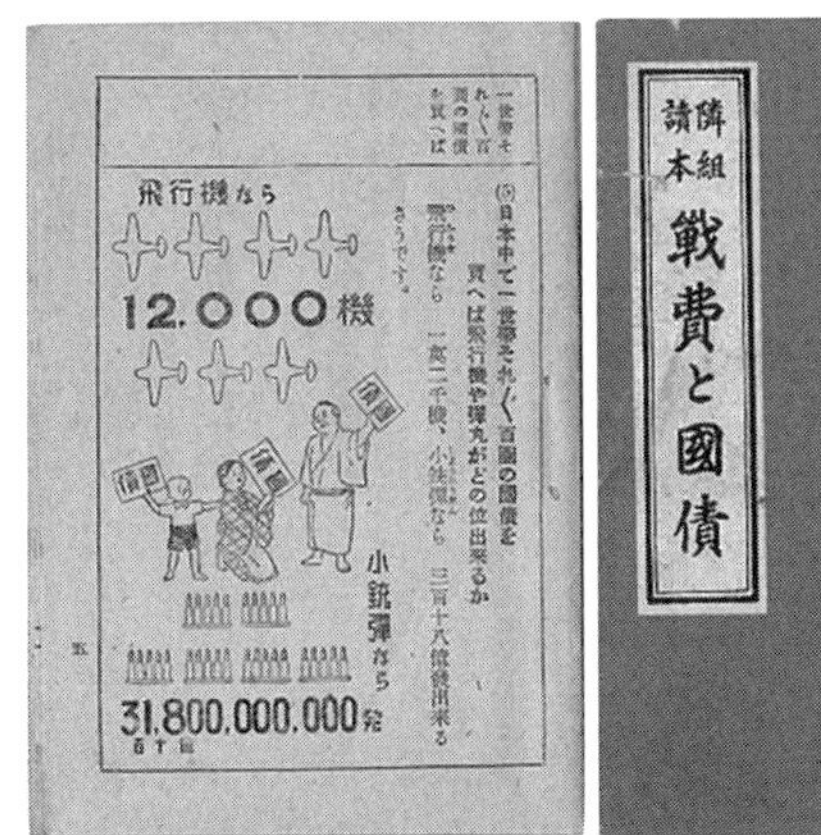

戦時中、庶民に配られた『隣組（となりぐみ）読本　戦費と国債』から。町内で回覧した。このように挿絵付きで、戦時国債を買うことを奨励した。中に「一人一人に国防の責任がある。国債を買って君の責任を果たせ！」と書かれている。しかし敗戦で、その国債は償還されなかった。全部が紙クズになった。

が、今ふたたび起きようとしている。

不況への転落と猟奇事件

4月×日

世界恐慌で、大不況（デフレ）が世界中で進んでいるというのに、何としたことか日本政府は金の外国への輸出を自由にした。これを「金解禁」と言う。

金地金の輸出の自由とは、日本から金が外国に流出することを政府が許可した、ということだ。いくら紙幣中心の経済に移ったと言っても、世界はまだまだ金の信用で成り立っていた。金の裏打ち（担保力）がなければ、国家間や大企業間の取引は成立しなかった。その貴重な金がむざむざ海外流出することを、政府自身が許した。ここには大きな策略があった。このとき、日本は、誰に、どの国に、何の勢力に騙されたのか。今の今でも、財政学者や歴史学者が誰もはっきりと研究して書かない。当時、「東洋経済新報」誌で高橋亀吉と石橋湛山が、「金解禁などするな。愚策である」と論陣を張った。偉かった。
　この「金解禁」は１９３０年（昭和５）１月に、ライオン髭の浜口雄幸首相と大蔵大臣の井上準之助の２人が断行した。アメリカが２人を脅してやらせたのだ。すでに世界覇権は、イギリスからアメリカに移っていた。金解禁（輸出許可）でますます日本はデフレに陥った。金解禁という政策が、このあと襲ってくる「昭和恐慌」（１９３０年～32年）の引き金になった。この金解禁を急いで停止（金の輸出の再禁止）したのは高橋是清である（１９３１年12月）。立派な財政家で政治家だった高橋是清は１９３６年（昭和11）の「２・26事件」で殺された。

４月×日（７月加筆）

　金解禁から２年後の１９３２年（昭和７）に、「坂田山心中事件」という煽情的な事件が起きている。日本全国が大騒ぎになった。５月９日の朝、神奈川県の大磯駅の裏山で、若い男女の心中死体が見つかった。男は学生服、女は上品な藤色の和装で、死体の傍らに三越百貨店の風呂敷包みと薬の瓶が落ちていた。風呂敷包みには文学書が入っていて、薬の瓶は自殺に使った猛毒の昇汞水（塩化第二水銀）だった。

2人の死体は無縁仏（身元不明者）として、大磯の宝善寺に仮埋葬された。身元が判明して、男は慶應大学の学生で華族の孫（24歳）、女は静岡県の素封家（代々の名主層）の令嬢（22歳）だった。結婚を反対されたことに絶望して服毒心中したのだった。遺書もあった。初め、新聞は「慶大制服の青年心中　令嬢風の女と大磯駅裏で」と小さい記事を載せただけだった。

騒ぎが大きくなったのは、仮埋葬された次の日（5月10日）に、女の死体が仮埋葬した墓から掘り起こされ、消えてしまったからである。女の和服が墓に残っていたので、死体は全裸で何者かが持っていったことになる。大磯に新聞記者が殺到した。世の中は、この猟奇事件に引き寄せられた。翌日、5月11日に全裸の死体が大磯海岸の砂浜で発見された。当時、大磯駅の周辺は、ほとんどが三菱財閥の岩崎家の所有地だった。

人々の関心は、若い男女が心中した理由よりも、令嬢の死体が犯人に凌辱（屍姦）されたのではないか、という点に移った。英語で「ネクロフィリア」necrophilia と言う。この猟奇事件に日本国中が色めき立った。それが、不安定に荒れ始めた当時の世相である。死体発見の4日後には5・15事件が起きた。

大正デモクラシーの明るい世相（前述したヨーロッパ戦争での好景気もあった）がどんどん消えて、次第に暗い世の中になった。翌年の1933年（昭和8）に、ヨーロッパではドイツでヒトラーのナチス党が政権を握った。これと対立する共産主義者たちの、戦争反対と帝国主義反対の運動が起きた。日本共産党（1922年創立）は昭和3、4年に大弾圧（幹部たちの一斉逮捕）を受けて早くも瓦解した。前述した太宰治のような真面目な帝大生（東大生）たちまでが、左翼活動の疑いで検束（逮捕）された。彼ら学生たちはさっさと転向して、その後、鬱屈した人生を生きる。それを苦悩の中で文学作品に昇華できた人は、まだ幸運だった。

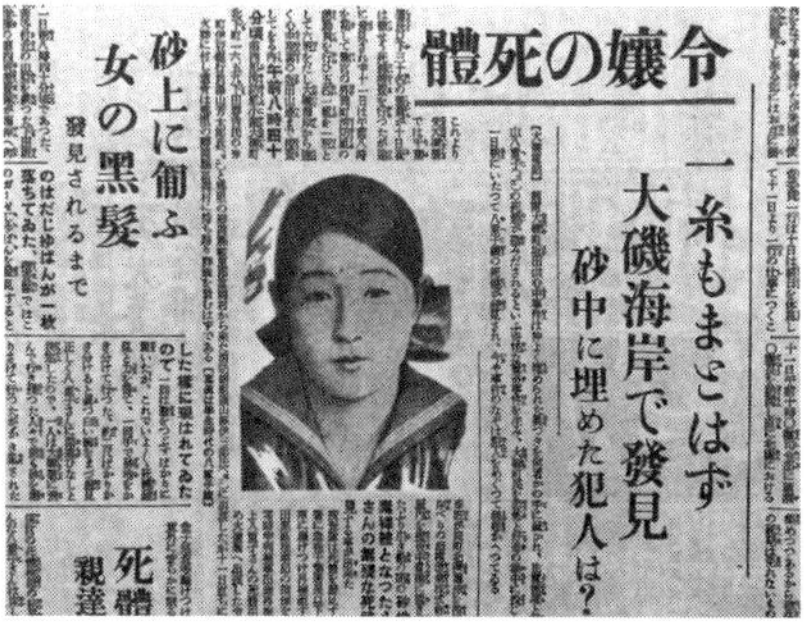

「坂田山心中事件」で死体発見を伝える記事
（東京朝日新聞　1932年5月12日夕刊）

関東大震災（1923年）から金融恐慌（1927年）、昭和恐慌（1930年）へと、どんどん不景気になっていって、人々は頽廃的かつ投げやりで享楽的な気分になった。「エロ（エロティシズム）・グロ（グロテスク）・ナンセンス（笑い）」というコトバが流行した。

すべての始まりは、大震災のあとの復興債（1924年に発行）からだ。ここから日本は転がり始めて、そしてもう止まらなかった。それが今の、コロナ騒ぎの2020年4月27日に、日銀（日本銀行）の黒田東彦総裁が「日銀は無制限に金融緩和（資金を供給）する」と発表したことと重なる。私はどうしても「復興債（1924年）」と「無制限の金融緩和（2020年）」が、歴史の再現に思えてならないのだ。

新聞が坂田山心中事件を派手に報じた。

犯人は死体が消えてから9日後の5月19日に逮捕された。新聞が顔写真つきで「怪異の謎遂に解く　令嬢死体泥棒は　六十五歳の隠亡　十日目にやっと自白」と書いた。この「隠亡」というコトバは墓守のことだ。墓掘りと埋葬の専門業者である。今は差別用語で使ってはいけないことになっている。

このあと、警察が「令嬢の体はきれいだった。純粋無垢の処女だった」と発表した。これで途端に、話は変わる。「心中した若い2人は清らかな恋を貫いた」と日本人は受け入れるようになった。初めは、金持ちの息子と娘の破廉恥な性愛の果ての心中と思われ、それがエログロ報道で過熱した。ところが一転、貞操を守り抜いた2人の大純愛物語に変わった。この心中事件を題材にして、なんと素早くその2カ月後には『天国に結ぶ恋』という松竹映画が製作され、全国で大ヒットした。主題歌で「ふたりの恋は清かった　神様だけがご存知よ」と歌われた。

この1932年と2020年の今が、88年の隔たりを超えて、まったく同じような幻惑に私は囚われる。確実に歴史が繰り返されている。

4月×日（7月加筆）

経済学の中に、サイクル理論（波動の理論）というのがあって、歴史は80年周期で繰り返す、とする。この歴史の回帰性という性質を知ることは重要だ。自分の知能と知恵を試して鍛えるために、このような思考を自分に課してみることが大切だ。「世の中、この先どうなるか分からんよ」と斜(しゃ)に構えて、ケセラセラとエログロ・ナンセンスで生きるのは、愚か者のすることだ。私は眼下に海が見える崖の家にいて、こういう思考を自分に厳しく課している。

前述したとおり、日本は第一次世界大戦で、濡(ぬ)れ手(て)で粟(あわ)のボロ儲けをした。ほとんど戦わずに、旧ドイツ領だった青島(チンタオ)、パラオ、サイパンをドイツから奪い取って手に入れた。これを戦争処理のベルサイユ条約（1919年）で各国に認めさせ、承認を得た。まさしく火事場泥棒だ。国際連盟の委任統治領（trustee　トラスティ）として領有した。これより先に日本の領土は、台湾（1895年に日清戦争で領有）、韓国（1910年に併合）、北方領土（1855年の下田条約）、樺太(からふと)（1905年に日露戦争で南半分を領有）と広大なものになっていた。

第一次世界大戦で生まれた軍需景気は、日本にとって1980年代後半の巨大なバブル景気とまったく同じなのだ。アメリカとソビエト（ロシア）が軍拡競争で核兵器を1万発作った。それで両大国はヘロヘロ、ボロボロになっていた。その隙間(すきま)を日本が突いたのだ。

あのバブル経済（1989年がピーク。不動産バブル、〝狂乱地価〟高騰、証券・金融バブル）のとき、日本は一瞬、アメリカの経済力を追い抜いたのである。本当だ。ニューヨークの上場株式時価総額の600兆円を、東京証券取引所の時価総額が上回った。1989年12月のことだ。土地の値段もニューヨークを抜いた。日本人は有頂天になった。経営者と資産家たちは投機（speculation スペキュレーション）に熱狂して、企業の株価も異常に値上がりした。これと同じことが第一次世界大戦（ヨーロッパ戦争）のとき、日本で起きていたのだ。代表格は、やはり船成金の鈴木商店だ。全盛期の鈴木商店は、三井、三菱を上回る大商社だった。輸出ラッシュで鈴木商店の社旗を翩翻と翻した商船が、順番待ちでスエズ運河にズラリと並んだ。

ところが。この大戦景気の果実（フルーツ）は、そのあと戦争後の不景気で世界的な株式暴落となった。日本では米騒動（1918年7月から9月。米価急騰に怒った民衆の争乱）の激しいインフレで喰い潰された。そして関東大震災（1923年）、金融恐慌（1927年）、世界恐慌（1929年）、それに連動した昭和恐慌（1930年）につながった。ここには、その80年後に起きた1993年（平成5）のバブル崩壊、

2008年(平成20)のリーマン・ショック、そして2011年(平成23)の「3・11」東日本大震災、それから2020年(令和2)の新型コロナウイルス騒ぎ、との強い類似性、相関性が見える。

総合商社の走りだった鈴木商店は、関係が深かった台湾銀行から5億円(今なら5000億円)の貸し付けを受けていた。鈴木商店はこの融資金を返済できずに、1927年4月5日に倒産した。それで台湾銀行も連鎖倒産した。

1930年(昭和5)からの昭和恐慌のときは、賢人の高橋是清が緊急に再登場して、大蔵大臣に自らなった。イギリス・ロスチャイルド家の信用の厚い高橋是清が、日銀特融で緊急デフレ退治の対策「お札の大増刷」をやった。この紙幣は片面しか刷っていない、裏側は真っ白の200円札だった。これを大量に全銀行に配って、市中で使わせるようにしたのだ。

これは現在の金融緩和(イージング・マネー)、量的緩和(クオンティティティヴ・イージング)、そして「インタゲ」(インフレーション・ターゲティング・目標値)政策である。お札(紙幣)と国債(国家の借金証書)を無制限に発行して、このジャブジャブ・マネーで資金（お金）不足を無理やり解消して、民間銀行と民間企業、商店などの倒産危機を乗り切ろうという策だ。これでデフレを無理やり人為的、人工的にインフレに変えようという、もともと無理な政策である。

先人の高橋是清は昭和5年（1930）の昭和恐慌を、この緊急対策でなんとか乗り切った。が、それも直後の世界恐慌で潰えた。高橋是清は、天才的な経済学者のジョン・メイナード・ケインズ卿の思想を先取りして実行した、日本の大賢人である。そして、その6年後に暗殺された（2・26事件）。私はここに大きな政治謀略があっただろうと考えている。現在、その謎を解こうとしている。

4月×日（7月加筆）

明治から大正時代までの日本は、生糸と絹布を輸出したおかげで急激に経済成長して、繁栄した国だった。西欧とアメリカの生産技術と文物を急速に取り入れた。それで欧米と肩を並べる一等国になった。これは本当である。日本は1930年代に、世界GDPの6%ぐらいを占めている。それが関東大震災（1923年）をきっかけに、一転して不況のドン底の始まりを経験した。坂道を転がり落ちるように苦境に入った。

その前の「大正デモクラシー」で政党政治が定着し、文芸、音楽、芸能も栄えた。宝塚（たからづか）歌劇団の初公演は第一次世界大戦開戦と同じ年の１９１４年（大正３）だ。「モボ」（モダン・ボーイ）、「モガ」（モダン・ガール）と呼ばれる若者たちが世界の流行を直輸入して、当時の流行最先端とされるファッションの、長く引きずるような、ゆったりとしたワンピースに変わった。女の体を締（し）めつけるドレスを捨てた。水着を開発して海水浴もした。チャールストンという踊（おど）りを踊った。

それと比べて考えると、１９８０年代のバブルのとき、日本の金持ちのボンボン息子や娘がＤＣブランド（デザイナーズ・キャラクターズ・ブランド）や、アルマーニとかの海外ブランドの服を着た。青山や六本木には、イタリア製とかの外車がズラーッと並んだ。あれとよく似ている。

ところが大正バブル期が終わって昭和に入ったら、追い詰められた日本国民は飛び降り自殺や心中をするようになる。熱海の錦（にしき）ヶ浦（うら）と伊豆大島の三原山（みはらやま）火口に身投げする人が続出した。生活が困窮して欠食児童が増えた。世の中がどんどん暗くなった。頽廃的な気分に陥った国民は、ニヒリズム（虚無主義）の投げやりな気分になって、享楽的に快楽を追い求めた。「昭和エログロ・ナンセンス」の時代になった。エロ、怪奇、猟奇、下品な小説や見世物や歌が好かれた。梅原北明とか夢野久作、江戸川乱歩の小説がよく読まれた。ＮＨＫのラジオは、それよりはちょっと上品な小説を連続朗読することで国民の教養を高めた。だから前述した坂田山心中事件に人々が色めき立ったのだ。阿部定事件というのも4年後に起きた（１９３６年）。美人の娼婦の阿部定が、愛人の男の首を絞めて殺し、その男性器を切り取って逃げた。国民はこのエログロ事件に大興奮した。

　今の日本も似ている。若い女の子たち（女子中学生、高校生）が、一人一人で密かに読んでいるマンガがある。「ＢＬ」というコミック（マンガ）のジャンルだ。ＢＬは「ボーイズ・ラブ」の頭文字だ。男子どうしの恋愛を描くマンガである。恋愛だからラブシーンもたくさん出てくる。エロスである。少し前は、これらのマンガは「やおい」（ヤマなし、オチなし、イミなしの頭音から取ったコトバ）と呼ばれていた。この

「BL」に熱中する若い女性たちを腐女子と言う。自らを腐った女たちと自嘲して、異次元の世界に魂がさ迷う。これにピタリと呼応して、若い男たちは「生身の女とのセックスはコワイ、穢い」と避ける。ボーカロイドやアニメの世界（夢の世界）の女子に夢中になる。

ボーカロイド（の人工的に音声を合成する技術）で作られた初音ミクのフィギュア（人形）が出現した。初音ミクは、この世（現実世界）には存在しない。初音ミクは世界中のオタク（nerd　ナード）たちから崇拝されている。今や世界中で、50代の長官（大臣）クラスの政治家たち（フランスでもブラジルでも）からも、初音ミクは敬愛されている。消えて流れてなくなってしまった、幻の２０２０年東京オリンピック（ちょうど80年前の１９４０年東京オリンピックも中止だった。歴史は立派に繰り返した）では、本当に幻の初音ミクが開会式の歌を歌うべきだったのだ。

今、人類は幻の中で生きようとしている。この穢土（汚れた現実世界）から遠離（離れる）して、幻想の〝あの世〟の世界で生き始めている。私は、世界に誇る日本のアニメ、マンガ、ゲーム、オタクの文化を眩く、怪訝に見つめる。そしてこれを

〝世界に冠たる秋葉原（アキバ）文明〟と名づけている。初音ミクと〝結婚〟して、そのフィギュアと腕を組んで披露宴を開いた男がいる。

私たちは「歴史の法則」から逃げられない

5月×日

5・15事件が起きたのは、坂田山心中事件から、わずか6日後である（1932年）。これは血盟団事件に続いて、海軍の将校たちが起こした犬養毅首相殺害事件だ。首謀者は古賀清志、三上卓海軍中尉たちだが、その背後にアメリカの金融財団からの教唆があった。山本五十六、米内光政、風見章が背後にいた。この海軍軍人たちのクーデター計画から4年後に、2・26事件が起きた。

5・15事件の2カ月前に、日本は満州国建国を宣言している。国際連盟のリットン調査団が来日した2日後の、泥縄の「建国」だ。翌年1933年（昭和8）1月に、ドイツでヒトラーのナチス（国家社会主義ドイツ労働者党）が政権を握った。アメリカでは3月にフランクリン・ローズヴェルトが大統領に就任した。日本の首相は齋藤實（1934年まで）だ。日本は満州事変（1931年）以来、満州だけでなく、にまで進出（侵略）する段階に来ていた。

齋藤實は4年後の2・26事件で、高橋是清大蔵大臣、渡辺錠太郎教育総監（陸軍大将）とともに殺された。2・26事件のあとは、広田弘毅、林銑十郎、近衛文麿、平沼騏一郎、阿部信行、米内光政、近衛（第二次、第三次）、東条英機と、首相がクルクルと目まぐるしく替わってゆく。近衛が内閣を放り出したあと（1941年10月18日）、東条内閣になり、日本は真珠湾攻撃をアメリカとイギリスに騙されて着々と実行した。

日米（英）開戦で、戦後75年間、ずっと主張されたのが「海軍善玉・陸軍悪玉論」である。陸軍が悪かったのであり、海軍は平和主義者で開戦をイヤがったという説だ。とんでもない話だ。これは大きな嘘である。謀略言論だ。阿川弘之という作家を中心に、文藝春秋や新潮社が、ずっとこの考え（説）で日本国民を洗脳した。本当の悪で、アメリカに操られて戦争に雪崩れ込んだのは日本海軍のトップたちだ。米内光政（海軍大臣）、井上成美、山本五十六の、海軍の3人の提督こそが、日本を戦争に引き摺り込んだ張本人たちだ。外務省では重光葵外相が、開戦前からアメリカの手先である。

私、副島隆彦は、どんなに嫌われようがキチガイと言われようが、歴史の大きな真実を暴き立てて後世に書き遺す覚悟である。バカな国民は1941年12月8日の真珠湾攻撃で、まんまと一瞬のうちに戦争にのめり込み、かつ日本はアメリカに勝つと集団陶酔して思い込んだ。そして舞い上がった。わずか3年3カ月後が東京大空襲だ。その5カ月後には広島と長崎に原子爆弾が落とされた。その前に日本全国の主要都市は、すべて焼け野が原になった。米軍の戦略爆撃（ストラテジック・ボミング。カーティス・ルメイ将軍が立案した無差別爆撃。この男は極東に回ってくる前に、ドイツのドレスデン爆撃を実行した）によるものだ。

また同じことが起きるだろう。人類（人間）は、80年に一度ぐらい、どんな国も必ず戦争をしている。これは歴史（人類史）の法則だ。この運命から私たちは逃れることはできない。法則は法則だ。主観や願望で、自然の法則（natural law　ナチュラル・ラー、自然界の掟）を変えることはできない。私は諦観（達観）している。「第三次世界大戦への突入を止めなければいけない」と私は書き続けてきている。

その考えと、今お前が書いていることは違うではないか、と言う人もいるだろう。私がいくら警告を発し続けても、現実は現実として冷酷に進んでゆく。だから私は世捨て人を気取って、山の中の家にいるのだ。「オレはもう知らんからな」が口ぐせだ。諦めを知るのも、また人生なのだ。

どうせ歴史は繰り返す。①好景気が来る（大戦景気とバブル経済）、②そのバブル景気が崩壊する（金融恐慌とバブル崩壊）、③大災害に見舞われる（関東大震災と東日本大震災）、④大恐慌が襲う（NY発世界恐慌と2024年恐慌）。そして⑤戦争が来る（第二次世界大戦と第三次世界大戦）。この歴史のパターンを私はしっかりと握りしめて、今を生きている。他の人たちが何を言っていようが、鼻で嗤っている。

第2章

次の「大きな戦争(ラージ・ウォー)」と日本

戦争の準備が着々と進行している

3月×日（7月加筆）

今から4年後の2024年に、次の大きな世界規模の金融恐慌が押し寄せるだろう。日本だけのことではない。そのとき、米、欧、日の「先進国ダンゴ3兄弟」の国家財政が破綻する。第二次世界大戦の前（1930年代）の世界大恐慌と同じ大変な経済混乱が今、現実に起きている。

それなのに、そのことを自覚しないで、人々は「コロナはいやだなあ。気分が悪くていやだなあ。給料や年金はちゃんと払われるのかなあ。ちょっと心配だなあ」と、ブツブツと言うこともあるが、それでもあまり考えることもせず、最後は「なるようにしかならない。自分が心配したって何にもならない」と、「何事も仕方がない」宗教の信者で生きている。

そして2030年に、第三次世界大戦に突入するだろう。

もう今も、その前触(まえぶ)れの戦争準備が着々と進行中だ。新型コロナウイルスのパンデミック騒ぎは、形を変えた戦争だ。今の中国人は、おそらく全員が、この第三次世界大戦を自明のこととして受け入れながら生きている。そしてそのあとの、中国が指導する新しい世界のことを考えている。

今年の初めの２０２０年1月15日に、米中貿易戦争で「第1段階の合意」が発表された。もう第2段階の合意はない、と全員で分かっていて、「第1段階」などとバカなことを言い出した。中国がアメリカの農産物を、2年間で５００億ドル（5兆円）買うことと引き換えに、アメリカは中国への制裁関税率を引き下げた。

> **「米中「第1段階合意」に署名　中国、米製品の輸入5割増」**
>
> 米中両国は1月15日、貿易交渉を巡る「第1段階の合意」で正式に文書に署名した。合意内容は、中国が米製品の輸入を1・5倍に増やすことと、知的財産権の保護など7項目。（それに対して）米政権は2月に制裁関税の一部を下げる。ただ、中国は産業政策の抜本見直しを拒んだままであり、米国も中国製品の7割弱に制裁関税を課したままだ。米中対立は「薄氷の休戦」にすぎない。（略）米国

側はこの「第1段階の合意」を受けて、2月中旬をメドに、２０１９年9月に発動した制裁関税第4弾（１２００億ドル分）の関税率を15%から7・5%に引き下げる。発動済みの制裁関税を緩和するのは初めてで、過熱し続けた貿易戦争がようやく休戦に向かう。

（日本経済新聞　２０２０年1月16日）

こんな米中合意は茶番劇で、殴り合いの最中の休息のようなものだ。この米中貿易戦争の「第1段階の合意」が、ホワイトハウスで合意文書に署名（調印）される前に、すでに米中コロナ戦争は始まっていた。次の戦闘の火蓋は切られていたのだ。アメリカの対中国強硬派（ヒラリー・クリントン派）が、「中国に戦争を仕掛ける」と、生物化学兵器戦争（Bio-Chemical-Weapon Warfare　バイオ・ケミカル・ウエポン・ウォーフェア）を開始した。２０１９年10月18日に始まっていた。武漢（ウーハン）で開かれた「世界軍人運動会」のときだ。

対中強硬派は、世界反共人間の同盟だ。彼ら反共右翼たちの大きな世界的な連携が、新型コロナウイルスを武漢に撒くことで中国に細菌戦争（germ warfare　ジャーム・ウォーフェア）を開始した。この生物化学戦争は、アメリカのヒラリー派が仕掛けたのだ。

私は、この事態を予言してきた。それは、「ヒラリー・クリントンが（2016年11月の選挙で）米大統領になったら、必ず中国に対して戦争を仕掛ける。それは第三次世界大戦だ」と。私はこのことを『日本に恐ろしい大きな戦争が迫り来る』（講談社、2015年3月刊）で書いた。その「まえがき」冒頭の1行目に書いた。誰もこの事実に注目してくれない。みんな知らん顔だ。だから私は、一人で鬱屈して、海の見える崖の家から遠くを見ている。

4月×日（7月加筆）

トランプ大統領にとっては、次の2020年11月3日の大統領選で再選されることが自分の悲願であり、人生の目的だ。そしてトランプは再選されるだろう。民主党のバイデンが大統領になったら、どうせこの男はヒラリー派の言うとおりに動いて、操られる。すぐに大戦争（ラージ・ウォー）になる。だから人類にとって危険なのだ。ポピュリスト（民衆主義者）で、アイソレイショニスト（米軍を国内に撤退させよ）のトランプのほうが、ずっとアメリカ民衆の意思を代表している。

民衆は自分たち（の子ども）が戦争に連れてゆかれることを、ものすごく嫌う。民衆（国民）の中の賢い人々は、このことが分かっている。そして今のアメリカでは、奇妙な逆転現象が起きている。リベラル派で、貧しい者と庶民の味方で平等主義者のはずの民主党（デモクラット）を支持する勢力が、狂暴なヒラリー派に騙されて、口先だけの平和主義を唱えて、頭をやられて（洗脳されて）、反トランプの動きに大きく加担している。この奇妙な逆転現象を見抜く力（知能）がなければ、知能の足りない人間として終わってゆく。この奇妙な逆転現象を分かることが、真の知性である。

アメリカ合衆国憲法は、大統領が軍の最高司令官（コマンダー・イン・チーフ）と定める。だから、生物兵器を中国に使うことも、大統領の署名（許可）がなければできないはずなのだ。軍隊を動かす権限（権力）は大統領にある。それなのに、大統領の権限を勝手に侵害、破壊して、自分たちで勝手に「夜の軍隊（ナイト・アーミー

night army)」が動き出し、「ディープ・ステイト」deep state ＝「裏に隠れた政府」が大統領の権限を侵して、実質的なクーデターを起こしている。それが今のアメリカだ。

トランプは、自分の一番近くにいて、自分が任命した人間が、自分をやがて裏切ることを知っている。トランプはそのことを察知して、かすかに横睨みをしながら身構えている。海千山千の、大都市ニューヨークの不動産業（土建屋）から這い上がってきたのだ。ニューヨークの不動産業界の大物ボスが述懐した。「トランプは私たちから（さえ）、契約に細かい穴を作って大金を奪い取っていったよ」と。それぐらいのドぎたない男でなければ、ここまでの闘いはできない。自分の一番、身近にいる者（たち）が裏切るのだ。まさしく大作映画『ゴッドファーザー』が教えてくれる真実である。

それは、自分に次ぐ地位であるペンス副大統領（宗教右翼。レリジャス・ライトの勢力の代表）と、ポンペイオ国務長官の2人である。トランプはこの2人が、ヒラリーとつながっていることに気づいていて、知っている。これは内部の裏切り、叛乱、謀反（リベル　rebel）である。

ペンスとポンペイオは長い間、反ロシア、反中国の、反共右翼の堅い信念で生きてきた者たちだ。ポンペイオは、長く米陸軍（アーミー）の軍情報部にいた男だ。下院議員を1回だけして政界進出した。軍の情報部員（インテリジェンス・オフィサー）は、昔は「グリーンベレー」と言ったが、今は「レインジャー部隊」と言う。だいたい上級の軍事諜報員は、表面上は野戦部隊の戦車隊長の肩書きを持っている。日本でも対モンゴルの軍事情報部員だった。作家の司馬遼太郎は、戦車隊長を肩書にしていた。

燃えるような反共（アンタイ・コミュニズム）の情熱と信念で、長年、生きてきた者たちだ。ポンペイオが米軍の特殊軍（special forces　スペシャル・フォーシズ。CIAと軍人上がりが合体している組織）を直接、動かしている。だからCIA長官も1年だけした。これらの組織の中に今も、強固に、ヒラリー派の勢力がいる。

こいつらと対立し合って、大統領のトランプに忠誠を誓う生真面目な軍人の幹部、将軍たちと警察署長たちの大きな勢力がいる。この2つの勢力が今、激しく米政府内で闘っている。

4月×日

２０１９年の10月18日に、この特殊軍の米軍人たち（一番、凶悪な軍人ども）が、中国の武漢で人造ウイルス（生物兵器）を撒いたのだ。彼らはこの3年半の間に、トランプによって、人事異動の序列でどんどん左遷され、アラスカなどの僻地や辺境の勤務地に飛ばされている。このことにも怒っている。

この、戦争キチガイの狂気の集団（勢力）は、アメリカ政府内でもまだまだ強い。トランプだって、大統領になってはみたものの、下のほうにこの大きな「ディープ・ステイト」（陰に隠れた政府）がいる。こいつらが中国で、核戦争（ニュークレア・ウォーフェア）に次ぐ世界戦争の手段である生物化学戦争を実行したのである。それが武漢発のコロナウイルス騒ぎだ。

一方、中国もまた気合が入っていて、アメリカと核戦争でも細菌化学戦争でもする気で、厳しく準備している。今の日本人の、アメリカのチンコロ、ワンコロを長年やって、ふぬけの反共バカ右翼になっている者たちごときで、今の中国の強さを冷静に評価、判定することはできない。

人類（人間）は目下(もっか)、第三次世界大戦への道を着々と歩みつつある。この戦争は、迫り来る核戦争であり、生物化学戦争であり、サイバー戦争である。コンピュータ・ウイルスで相手（敵国）のレーダーを無力化して、軍事施設を爆撃するということもする。２００７年9月にシリアを空爆したイスラエル軍が、このサイバー攻撃でシリアのレーダー（ロシア製）に捕捉(ほそく)されず、攻撃に成功した。

日本もまた世界の一部として、次の大きな戦争（ラージ・ウォー、第三次世界大戦）に、連れてゆかれる。また、たくさんの人が死ぬ。

戦争までの４段階、そのあとの２段階

6月×日

今年（２０２０年）は、１９４５年8月の敗戦から75年だ。これから〝次の戦争〟

国際紛争の6つの段階

1	Argument（アーギュメント） 議論、対立	外交交渉。話し合い。
2	Military conflagration（ミリタリー・コンフラグレイション） ＝Armed conflict（アームド・コンフリクト） **軍事衝突**	軍事的公務員同士で小さな衝突。5～10人ぐらいが死ぬ。
3	Military conflict（ミリタリー・コンフリクト） **事変** と言う **紛争**	両軍、それぞれ500人ぐらいが死ぬ。
4	Warfare（ウオーフエア） 本当の**戦争**	全面戦争。双方が宣戦布告（ウォー・デクラレイション）をする。4年ぐらい続く。
5	Peace talks（ピース・トークス） 和平交渉	疲れ果てて停戦して話し合い。調停者（ミディエイター）が間に入る。
6	Peace treaty（ピース・トリーティ） 平和条約、講和条約 （これは戦争終結条約という意味である）	日本はWWⅡのあと、ロシア、北朝鮮とだけは、まだこれができていない。

その都度に停戦協定 Cease-fire agreement（シース・ファイア・アグリーメント） それが破られて

へ進んでゆく。国家が本当の戦争に突入するまで、容易なことではない。戦争（Warfare　ウォーフェア）が始まるまでにはそれなりの時間がかかる。事件が次々と起きる。

戦争にまで至るには、4つの段階がある。第1段階は、激しい外交交渉や話し合いをする「議論、対立」（Argument）である。それが決裂したり休止になったりしたまま、第2段階として「軍事衝突」（Military conflagration　ミリタリー・コンフラグレイション）が起きる。ここで、国家どうしで、それぞれの軍事的公務員（日本なら海上保安庁。中国なら海監、海洋監督庁）が相手方とぶつかって、突発的に機関銃とかで撃ち合って双方に死者が出る。民間人どうしの衝突と死者ではダメである。あくまで軍事公務員（兵隊）が死なないといけない。これは国家行為としての衝突である。これに国民が一気に怯える。これも外交チャンネルを使って、双方の政府が交渉して事態を収拾する。

第3段階に入ると、それを「事変」（Military conflict）と言う。この「事変」というコトバは、ノモンハン事変とか満州事変、日華事変とかで日本人も知っている。だが、誰も正確に事変（ミリタリー・コンフリクト）の意味を説明してくれない。世界基準（ワールド・ヴァリューズ）での知識を身に付けようとする態度がないからだ。この事変では３００人から５００人、多くて３０００人ぐらいの軍人（軍事公務員）が、両方の国でそれぞれ死ぬ。この「事変（紛争）」とその前の「軍事衝突」は、世界基準の知識としてまったく異なるものなのだ。

　前ページの表にあるごとく、軍事衝突でも事変でも、双方の政府がただちに外交の協議を始めて「シース・ファイア」（Cease-fire）、すなわち「撃ち方、止（や）め」で停戦（シース・ファイア）をする。「停戦協定」（Cease-fire agreement　シース・ファイア・アグリーメント）が結ばれる。第三国が仲介役となることもある。ところが、それから何カ月かすると、また同じような事件が起きる。この軍事衝突が繰り返され、２〜３年が過ぎる。そしていよいよ対立が激しくなると、第３段階の「事変」が起きる。この「事変」のときも、なんとか停戦（シース・ファイア）協定が結ばれる。

　ここまでで止まればよいのだ。しかし、この事変の停戦協定でも収まりがつかなくなる。ついに第４段階が本当の「戦争」（Warfare　ウォーフェア）だ。これで本当に戦争状態に突入する。このとき、当事国の2つの政府は、それぞれ「宣戦布告」（War declaration　ウォー・デクラレイション）を出す。こうして交戦状態に入り、全面戦争となる。宣戦布告がきちんとなされず、なし崩しで戦争になることもある。

このとき「敵性資産」と言って、互いの企業（法人）の外国資産や銀行預金などが封鎖（引き出し禁止）されて、資産凍結とか没収という処分が行なわれる。こうした行為は、外交用語で使われる「相互主義」（reciprocity　レシプロシティ）という原理で行なわれる。レシプロシティとは、「お互いさま」ということだ。もっと分かりやすく言うなら、「そっちがやったら、こっちもやり返す」「やられたから、やり返す」だ。

ひとたびケンカ（戦闘）が始まったら、殴り合い（殺し合い）だから、「どっちが正しい」などと言っていられない。これが第4段階の「戦争」だ。

戦争になって時間が経つ（3年とか4年）と、双方が疲れて、それで第5段階に入る。これが「和平交渉」（Peace talks　ピース・トークス）である。和平のための話し合いだ。その前に、やはりシース・ファイア（停戦）していなければならない。もちろん、各地で散発的な戦闘はある。それでも第４段階の戦争を３年も続けていると、お互いがうんざりしてくる。多くの死者が出て、国民がすっかりイヤになる。和平交渉で苦しい駆け引きの話し合いが続いて、ようやく第６段階の「平和条約（ピース・トリーティ）（講和条約）」を結ぶことになる。ここで負けたほうが賠償金を払うとか、占領地を返還するなどが取り決められる。

平和条約というのは、「戦争終結（しゅうけつ）条約」のことである。戦争が終わりました、の取り決めの契約なのである。このことを日本では知識人層でもはっきりと知らない。今の日本は世界から計画的に隔離されて、すっかり赤子（あかご）のような国民だ。私はいつも一人で呆れ返っている。ボーッと海を眺めているしかない。戦後75年の今なお、日本は、世界200カ国ぐらいの中で、ロシアと北朝鮮の２カ国とだけは、この「平和条約、講和条約＝戦争終結条約」を結んでいない。

戦後の日本人はどう生きたか

5月×日

太平洋戦争（３年８カ月）で、日本は２３０万人の軍人（兵隊）が戦死（半分ぐらいは餓死と病死）して、一般市民の死者は80万人とされている（政府の発表）。あるいは４００万人ぐらいが戦争死したとされる。朝鮮戦争（１９５０年）では南北の合計で５００万人ぐらいが死んだようだ。

それでも人間は生きてゆく。生き残った者たちは生きてゆく。次の戦争で日本人の５％、６００万人が死ぬとしても、残りの95％、すなわち１億２０００万人は生き残る。私にはこのことが分かる。

敗戦直後の日本では、もう爆弾は降ってこないから安全なのだが、食べ物がなくて困った。戦争中にはあった政府からの食糧の配給もなくなった。食べ物を求めて生き延びようと、日本国民は死ぬほど苦労した。なんとか雑炊を食べるのがやっとで、親は子どもになるべく食べさせようと食糧の買い出しに行って、農家の人と物々交換をした。自分の持っていた着物（和服）や貴金属と引き換えに、米とかサツマイモを分けてもらった。屈辱的な思いもたくさんした。家族で食べ物を奪い合ったのだ。

私の知り合いで新聞記者だった人のお父さんは裁判官だったが、裁判官でさえ配給米では生きていけなかった。だが法律違反の闇米を買うことはしなかった。そのお父さんは餓死した（1947年10月）。有名な事件だ。名を山口良忠と言う。皇居の昭和天皇も、侍従たちが持ち寄ってくる卵や野菜などの食糧を食べて、生きていたという。敗戦直後の真実、実情はヒドいものだったのだ。

このあと、生き方上手の日本人たちが出現する。生きるためには節操を捨てる。戦争中の教育は、すべてウソだった。恥知らずで生き残った、エラいひとたちがたくさんいた。米軍から物資を分けてもらえる特権階級が生まれた。アメリカにベタベタすり寄っていくことが、新しい金持ち層というか上手に生きる人間の姿になった。少しだけ英語をカジって勉強して、米軍関係に近づいていった人たちだ。

その頂点は、1953年（昭和28）に衆議院議長になった堤康次郎だ。堤は西武財閥（西武鉄道グループ）を作った。このあと東急グループを握った五島慶太〝強盗慶太〟と箱根山の開発計画を争って、〝ピストル堤〟と呼ばれた。

堤康次郎はＧＨＱ（本当はＳＣＡＰと言う）にベッタリとくっついて、御用商人になった。旧皇族や旧華族たちがＧＨＱによる財産税課税で邸を手放さなければならなくなったとき、堤はこれらの邸宅や別荘を買い占めて、その不動産（物件）でホテル業を始めた。それがプリンスホテルだ。

西武財閥は、康次郎の息子の堤義明のときに、国税庁に狙われてボロボロになった（２００４年）。西武財閥グループの中心である国土計画（コクド）という会社に、あらかじめ何十人も国税庁のスパイが税理士の形で中に潜り込んでいて、康次郎時代からの財務がすべて丸裸にされた。税金をまったく払わないで、事業拡大で利益を出さずにずっとやってきたことが攻撃された。国土計画は全国の山や海辺を買って、そこをリゾート地（観光ホテル、ゴルフ場やスキー場）にして、１９６０年代からの日本の高度経済成長とともに事業をどんどん膨らませていった。

東急財閥の五島慶太、田中角栄の刎頸の友の小佐野賢治（国際興業）も、西武の堤康次郎と同じくアメリカ（占領政府）にすり寄って戦後の新興財閥となった。PX（post exchange）という米軍（進駐軍）の売店に、現地調達で仕入れをする特別の出入り業者、御用商人になった。米軍側にしてみれば、必要なものを彼ら御用商人がすぐに持ってきてくれる。だから彼らを重用した。

同じく、日本全国の県ごとに田舎財閥ができた。要らなくなった米軍の兵隊を運ぶためのバスや、鉄道用の枕木、石油などを扱うのは厳しい割り当て制だったが、彼ら米軍の手下となって働いた商人たちは、特別待遇で米軍の余った石油やバス、枕木を優先的に払い下げられた。それでバス路線と鉄道業を営んで、それぞれの県で田舎財閥になっていった。例えば福島県には、福島交通と福島民報を持った小針暦二という人物がいた。彼は「東北の小佐野賢治」と呼ばれた。

田舎財閥は、それらのバス会社や運送会社を中心にして地方の経済を支配した。自分の娘を若手の官僚に嫁がせて、その官僚が政治家（国会議員）になることで、中央政界とも結びついた。源平時代の「平家の公達、源氏の御曹司」というのも、そういう構造でできていたのだ。その前の藤原貴族たちも同じだ。これを貴種流離譚と言う。地方の豪族たちは、中央（京都）で何が起きているか、誰が強いかの情報を、そうやって貴種とつながることで得たのだ。

5月×日

戦前からの10大財閥は、三井、三菱、住友、安田の4大財閥をはじめとして全部、解体された。持っていた株券や貴金属の類も没収された。大財閥が戦争を物資面で推進したから解体されたと言われる。けれどもそうではなくて、もっと本当は、全国の農地をどうしても解放しなければいけなかったからだ。

財閥たちと旧華族の2つの支配勢力が、寄生大地主制で農地を握りしめていた。そのために、小作人（貧農）たちは非常に悲惨な目に遭っていた。NHKの連続テレビ小説「おしん」（1983年～84年放映。脚本橋田壽賀子）が描いて、世界中の人々（特にイランやエジプト）までも「私たちも一緒だ」と泣かせた名作の世界だ。だから戦前は、全国各地で小作人争議が頻発した。日本は、本当は労働争議よりも、小作争議（百姓一揆だ）のほうが激しかったのだ。

それを戦後、マッカーサーの総司令部（ＳＣＡＰ、ＧＨＱ）が「自作農創設特別措置法」という法律を作らせて（１９４６年10月公布）、８００万人の農民を小作状態から解放した。いわゆる農地改革である。政府が農地を不在地主からほぼ強制的に買い上げて、実際にその農地を耕していた農民に安く払い下げた。「一反あたり鮭三尾」と言われた安さだった。小作農一人あたり１ha（１町歩）、５人なら5haの所有権を認める、というものだ。この農地改革で旧地主（大財閥と旧華族）が没落していった。これで、健全で保守的な農民層が出現した。この保守的になった農民層の出現が、日本の共産化を防いだと言われる。

このＧＨＱ占領軍政府（まだ日本は独立していない。１９５１年まで）の強制的な改革で、極東（東アジア）における反共（Anti-communism　アンタイ・コミュニズム）の防波堤（bulwark　ブルワーク）としての、その後の日本が作られていったのだ。こういう大きな理解を日本人に、私が書いて教えるしかない。

『カインの末裔』を書いた有島武郎は、私が好きな日本の小説家の一人だ。有島は奥さんを亡くしたあと独身だった。が、人妻の波多野秋子という中央公論社の編集者と、軽井沢の別荘で首を吊って心中した（1923年6月）。2人の死体を別荘の管理人が見つけるまで、1カ月あったという。

有島の父は官僚で、這い上がって横浜税関長にまでなった。きっと、ものすごく目先の利く人で、北海道のニセコ（羊蹄山の麓）周辺の土地を優先的に政府払い下げで持っていた。300haぐらいの広大な土地だ。そこを、たくさんの小作人を使って開墾させた。税関長クラスでも当時は大変な裏金が入ったようで、それで一気に大地主になった。

有島武郎が偉いのは、その父親から相続した北海道の土地（有島農場）を、自殺する7年前にさっさと農民に解放してしまったことである。1922年（大正11）7月、有島は農地を小作人たちに無料で明け渡した。戦後の農地解放より25年も前のことである。有島自身は罰せられなかったが、寄生大地主（財閥と華族さま）のこの時代に、農地を勝手に百姓たちに分け与えるという行動は、日本の国家体制から見たらキチガイ扱いだった。

作家の徳冨蘆花健二郎も、東京の世田谷で同じことをした（今の蘆花恒春園という公園）。蘆花の兄は蘇峰で、言論人の頂点にいて大政翼賛会の親玉になったワルだったが、弟はいい人だった。蘆花はトルストイに会いに行った（１９０６年）。トルストイが当時、世界中の農地解放運動の輝ける星だった。トルストイは立派な人だった。ロシアはそのあと、バカ野郎のレーニンからあとの社会主義革命（ボリシェビキ革命、１９１７年）からが悲惨だった。あそこで人類は大きな罠に嵌まった。

有島武郎が農地を農民たちに分け与えたわずか四半世紀後に、日本全国で不在地主たちの農地は全部、国家に取り上げられた。有島の行動は、25年早かった。だから私は、狂人扱いされる覚悟の人間のほうが正しい、自分も有島武郎のようでありたい、という思いで生きている。大多数の人々よりも早め、早めに、大きな真実と大きな正義を言う者が偉いのだ。どうせ、あとで世の中がひっくり返ったときに、それまでの愚劣な考えも一緒にひっくり返るのだ。それまでは皆の常識だ。

そうなったとき、どちらが狂人か分かる。

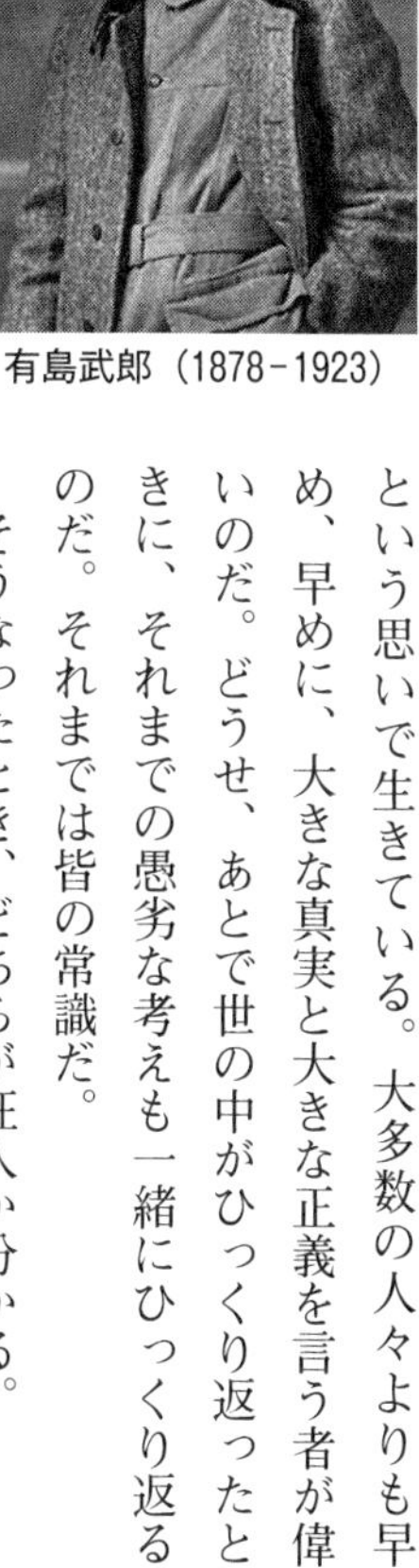
有島武郎（1878－1923）

私たちを襲う「ショック・ドクトリン」

7月×日

私は、自分の脳にピンと来て、どうもおかしいと勘づいてしまったことを、書いて後世に遺す。私は「大きな枠組みの中の真実を表に出す。真実を暴いて、皆（みんな）の公共の知識とする」を、自分の一生の務めとしてきた。これは私の人生の定款である。

今度のコロナ・バカ騒ぎも、必ず書いて遺すと決意した。それが、この『狂人日記2020』だ。私は毎日が不愉快のまま、ブツブツと日記を綴っている。

この本のモチーフ（motive モウティヴ。動機。主要動因）は、どうして人々はこんな他愛のないことで大騒ぎをしたのか、である。政府の言うがままに操られて妄動した。世界中が同じような動きをした。結果から見たら、普通のインフルエンザとまったく同じようなものだった。もっと静かに、何ごとも無かったかのように振る舞えなかったのか。

私がこう書くと、目をむいて私に怒り出す人がいるだろう。「大変なことなのだ」と。私は、感染症医学やウイルス学の知識は何もない。だから何の専門知識もない。現に、7月に入って南米やアフリカ諸国で感染者数が増えて、騒ぎが続いている。しかし、本当のことは、どうもよく分からない。これだけ科学（サイエンス。本当は近代学問）が発達したと言っても、人類（人間）はヒドい迷妄（めいもう）の中をさ迷う。私は狂人のように神経が勝手に昂（たか）ぶった。だが、私が発狂したのか、周りの皆が集団発狂しているのか、分からない。

世紀末（ただし19世紀末）のヨーロッパで、オーストリアの帝都ウイーンに物理学者、数学者たちを中心とした知識人が集まった。「ウイーン学団（ブント）」と呼ばれる。オーストリア学派（スクール）（シューレ）とも後世、呼ばれるようになった。物理学者のエルンスト・マッハ（1838-1916）が指導した。彼らは「自分たちヨーロッパ人は行き詰まった。もうこれ以上の進歩、発展はない。人類は文明の先行きを失った。人類は、終わりにまで来てしまった」と苦しんだ。そして、この知識人たちは集団発狂状態に陥った。その文学領域の代表が、フランツ・カフカだ。『城』や『変身』を書いた作家だ。

「狂うしかない」というところまで、ヨーロッパで一番優れた人々が、あのとき追い詰められたのだ。

人類の課題の突き詰め方と、今が似ている。おかしいのだが、どうおかしいのかを自分で考えている。だが、人間（人類）は、このあとも、しぶとく生きてゆく。そう簡単には絶滅しない。たとえ１００発ぐらい核兵器を射ち合っても。本当に生き苦しい人間は、自分から命を絶つ。自死（自殺とは限らない。衰弱死もある）してゆくだろう。

私たちは、そういう時代に突入した。私だけが軽度に発狂した、とは思わない。だから、私は『狂人日記２０２０』を書いて遺す必要を感じた。

誰か一人でいいから、この２０２０年の2月、3月、4月、5月、6月の、コロナ・バカ騒ぎを冷酷に刻印しなければならない。人間の群れの、愚か極まりなかった共同幻想（mass illusion　マス・イルージョン）がもたらす恐慌状態を、書いて残さないといけない。

4月1日（7月加筆）

４月の新年度になった。いつもどおり桜の花が全国で順番に咲いた。それなのに桜を見に集まる人がいない。パタリと人の群れが止まった。

新型コロナウイルスのパンデミックとは、エピデミック＝伝染病が世界中へ拡大したので使われるコトバだ。トランプ米大統領は、４月末（初めは4月12日のイースター・デイ〔復活祭〕とした）には世界的に収束に向かうだろうと、甘い考えを示した。ところが、恐怖心に駆られてキャーキャー騒ぐ人々は、過剰に神経質になって集団ヒステリーを起こした。アメリカで、特にニューヨークで蔓延（まんえん）が起こり、４月から騒ぎはヒドくなった。トランプの判断は甘かった。

民衆（国民）の、一番アタマの悪い者たちが、権力者、支配者たちがする扇動（せんどう）に乗せられる。これにはメディア（マスコミ）が使われる。この愚鈍（ぐどん）な人間たちは、自分の日頃の知能の足りなさを見返してやりたいと思うがごとく騒ぐ。知能のある人々は、「イヤだなあ。こんなヘンな騒ぎは」と顔を背（そむ）けて静かにしている。特に女たちが騒ぐと、私は女性差別主義者（misogynist（ミソジニスト） 女嫌い）になってしまう。実際、私は女嫌いだ。

今から9年前と、まったく同じだ。9年前の2011年3月11日（大地震と大津波）の翌日（12日。ちょうど24時間後だった）に、福島第1原発の原子炉1号機が爆発した（冷却できなかったので）。続けて14日に3号機、15日に2号機と4号機も爆発した。日本国民は青ざめた。私も青ざめた。それで私は決断して、自分なりの行動を起こした。

ところが、日本国民が「放射能、コワイ、コワイ、キャーキャー」と大騒ぎを始めた。爆発の翌月の4月からだ。そして、まるで桜前線のように、遠くのほうに広がった。それからの2年間がヒドかった。あのときの、恐怖状態での騒ぎ方と今のコロナ・バカ騒ぎは同じだ。アタマの悪い人間ほど、いつまでも何年も、「放射能がコワイ」とキャーキャー騒ぎ続けた。今も、意地でも騒ぐ人々がいる。こう書くと、私は、また嫌（きら）われる。

私、副島隆彦は、自分で福島第1原発のそばまで3月19日に行った。そして「もう落ち着きなさい。原発事故の放射能漏れは収まりました。こんな超微量の放射能では誰も死なない」と、ネットの「副島隆彦の学問道場」で報告した。爆発事故のあと5日目から、福島第1原発の近くと正面玄関まで弟子たちを連れて4回行った。そして、そこで正確に放射線量を計って、現地から発言した。そのあと6月22日から、原発から20キロ圏の外にある田村市の都路地区に、私が主宰する「学問道場」の現地活動本部を置いて、2年間観察を続けた。

それで私は、さらにキチガイ扱いされた。あのとき、私は「天皇陛下と首相と小沢一郎が、急いで原発の前まで来て、日本は大丈夫だ。さあみんなで元気に復興しよう、と言うべきだ」と書いた。「こんな事故では、子供1人、作業員1人死なない」と書いた。今は、あのときとまるで同じだ。あの頃は、「学問道場」のウェブサイトを毎日、70万人ぐらいの人が閲覧しに集まった。だから私たちの、純然たる民間人(ふつうの国民)としての活動は、人々の記憶に残っている。たくさん現地の写真(画像)も貼ったし、動画も載せた。今もそれらを見ることができる。

原発に近い福島県の浜通り(海岸線)の人々は、みんな元気で生きている。金持ちたちは逃げた。帰って来ない。世の中、そういうものだ。

6月×日（7月加筆）

「3・11」から半年後に『「ショック・ドクトリン」』“*The Shock Doctrine*, 2008”という本が出た（岩波書店、2011年9月刊）。ナオミ・クラインという、カナダ人の優れた勇敢な女性ジャーナリストが書いた本だ。それを日本人の優秀な2人の女性の翻訳家が訳した。今からでも読むべき本だ。いい加減にネット情報だけをチラチラ読んで、それで「僕ちゃんは、頭がいいんだよ」と思っている程度の低脳たちは、もっと自分に向かって恥を知りなさい。

私は、この『ショック・ドクトリン』について、2011年の東日本大震災のあと、たくさん書いて説明して、みんなに知らせた。だが日本では、ほとんど影響がない。

「ショック・ドクトリン」shock doctrine とは、権力者、支配者が、目の前に起きた大災害の脅威と、戦争の危機を煽り（あお）、民衆を脅か（おど）して、恐怖に叩き込んで、青ざめさせて、思考力と判断力を民衆から奪い取ることだ。そして自分たちの思うとおりに権力と支配を維持するやり方だ。そういう穢(きたな)い統治(とうち)手法だ。

この「ショック・ドクトリン」の別名が、「ディザスター・キャピタリズム」disaster capitalism だ。「大惨事便乗型資本主義(だいさんじびんじょうがたしほんしゅぎ)」と、先の翻訳者たちによって日本語に訳された。すばらしい訳だ。ディザスター disaster というのは、アスター aster 星座がガラガラと天から地面に落ちてくることで、それぐらいヒドい大災害(ディザスター)のことを意味する。

権力者たちは、大災害、大惨事、戦争、大恐慌突入を利用して、民衆、国民を脅(おびや)かす。そしてこの危機を利用して、自分たちの思うように、一気に体制変更をする。権力者、支配者というのは、それぐらい惨忍(ざんにん)なものなのだ。国民が何百万人死んでも構わない。それが統治、支配（ガヴァメント）というものだ、と。

こういうとき、政府は戒厳令(かいげんれい)、martial law「マーシャル・ラー」を発令して敷(し)く。この語と、元帥(げんすい)や連邦保安官の意味の marshal マーシャルとは違う。この戒厳令は「憲法の（効力の）停止」という意味で、「私権(しけん)の制限」を行なう。すなわち国民の身体の自由（権）、その他、財産権を制限し、停止することを政府（国家）はできる。そういう、ヨーロッパで17世紀からできた法学理論だ。

新型コロナウイルスが、5月からヨーロッパとアメリカ合衆国全土に広がった。それから世界中へ。今も騒いでいる。発表される（誰が何の権威でやっているのか分からない）感染者数は１５００万人、死者数は１００万人までゆくだろう（7月20日現在、感染者１４５０万人、死者60万人）。それで収束だ。

死者のほとんどは70歳以上から80歳、90歳代の高齢者で、80％ぐらいを占めている。若者は、ほとんど死なない。幼児の死者はさらに数少ない。だからいつものインフルエンザと同じだ。早く集団感染（アウトブレイク）の段階から、「ハード・イミューニティ」herd immunity すなわち「集団免疫」になって、動物の群れ herd ハード全体が感染することで全体に抗体「アンチ・ボディ」anti body が作られて、人類全体が抵抗力、免疫力（イミューニティ）を持つ段階に移行すればいいのだ。

スウェーデン国は、これをやって成功した。いや、高齢者が今も死に続けている。だからスウェーデン政府の判断（すなわち政府が自宅隔離を宣言しなかったこと）は間違っている、と批判するバカたちがいる。原発放射能のときとまったく同じだ。スウェーデン政府の担当疫学者であるアンデシュ・テグネル博士が、ものすごく偉かった。

また数年後に、新しいウイルスが出現するだろう。どこから？　誰が撒くのか？　だが、その時はもう、みんなに思考免疫（アイデア・イミユーニティ）ができているから、今のような大騒ぎはしないだろう。

今すぐ金を買いなさい

4月18日

私は今日、自分の最新刊の金融本を書き上げた。今月末には発売される。この2週間、出版社ではなくて、印刷所の一歩手前の組版屋（英語では　typesetter　タイプ・セッター）に泊まり込んで（3泊4日を2回やった）、それで書き上げた。

編集者や校正者（プルーフ・リーダー）用の部屋に椅子を並べて寝ながら、起きたら原稿を書く、ということをずっとやって書き上げた。まだこんなことができる自分に、もの書きとしての自信を持った。世捨て人やら仙人様やら言っているのが、ヤラセ臭い（笑）。書名は『もうすぐ　世界恐慌（ワールド・デプレッション）――そしてハイパー（超）インフレが襲い来る』（徳間書店、5月1日刊）だ。この本の帯に、「金が買えなくなる。急いで金を買いなさい」と打ち込んだ。

金の地金が、どんどん買えなくなっている。これまで買ったことのない人で、自分のわずかばかりの蓄えや、親からもらった資金とかがある人は、今すぐ買いにゆきなさい。金１００グラムで、もう65万円ぐらいになってしまった。おそらくこの先、数年間で、実質で今の6倍の段階になるだろう。世界経済は、そのような方向に向かっている。

私は、世界中に広がった新型コロナウイルス騒ぎを、横目で睨みながら（各国の様子を伝える記事を、ネットで追いかけることだけはする）、「嫌だなあ」と思いながら、生きている。都会は、インフラ（交通機関と物流とコンビニとスーパー）はしっかり動いている。だが、街全体はガラーンとして、人はパラパラしかいない。零細な飲食業のお店は、どんどん休業、廃業している。この人たちへの打撃が、一番大きい。飲食業が日銭の収入を失ったら終わりだ。そのために生きてゆけない人たちが、本当に生きづらくなっている。パンデミック騒ぎについての私の考えは、『もうすぐ　世界恐慌』の第5章にはっきり書いた。これは形を変えた戦争なのだ。

東京・御徒町の金業者を調査した。ここでは１キロの金地金を100グラムずつに精錬加工する。

株式の世界的な暴落が続いた。３月20日（金）までには、NYダウ（平均株価）は７０００ドルも落ちた。そして翌週の３月24日（火）になって、血相を変えた世界中の権力者、支配者たちが、結束して「エーイ、ヤー」と「政策総動員」でカネを掻き集めて（国家と中央銀行がニセ金＝カウンターフット・ビルを作って）、世界中で株式を買い上げた。株価の下落を買い支えた。こんなことをしていいのか。

この日、NYのダウ平均株価は2118ドル上げた。その前週の3月16日に3000ドルの大暴落をして、さらに2400ドル、そして1000ドル下げていた（3月23日）。それを3月24日に、〝権力者相場（けんりょくしゃそうば）〟で人工的に持ち上げた。これで世界資本主義同盟（ワールド・キャピタリスト・リーグ）は、いったんは「資本主義の全般的危機」から脱出した。やれやれ、だ。この状態が、しばらくは続くだろう。そして次の危機が来年、来るだろう。

この11月にトランプが大統領に再選されて、その次の年になったら、ふたたび株価は暴落する。そういうふうになる、と決まっているのだ。こういうバカみたいな見方で、私は金融評論家もずっとやってきた。私の金融予言は、それなりの信用がある。

日本人で株をやっているのは5％（国民の20分の1）だ。600万人だ。残りの95％は、株の動きなんか関係ない。関心がない。金融経済の変動になんか無関心のまま、4月に入って、いよいよ新型コロナウイルス騒ぎのほうにのめり込んだ。NYとイタリアとスペインがヒドい、とガンガン、ニューズになっている。

日本のお笑い芸能人、志村けんが新型コロナウイルスで死んだ（3月29日）。このとき、日本国民はこのことに相当のショックを受けた。全国の街がガラーンとなった。のちのちの証拠として、私はこう書いておく。緊急事態宣言（東京都と6府県が対象）が4月7日に発令された。ところが高齢者（おばあさんたち）の原宿と呼ばれる、巣鴨のとげぬき地蔵の商店街は賑わっていた。とげぬき地蔵は、介護施設になんか入らないで、ぴんぴんコロリで死ねますように、と祈願する老人たちの聖地だ。千葉の海には潮干狩りにたくさんの人が出ていた。

第3章

新型コロナウイルスの真実

3人の「皇帝」たち

3月31日

世界の指導者たちは今、どのように動いているか。

3月27日（米では26日）に、「トランプ大統領と中国の習近平主席が電話会談を行なった」。この電話会談は重要だ。新型コロナウイルスの発表感染者数で、アメリカが中国を追い越した日だ。

その前日に、「G20（主要国・地域）電話首脳会議」が開催された。そこでは、米中の首脳は激しく議論することをしなかったようだ。その逆で、トランプと習近平の2人は、しんみりと話したようだ。トランプ大統領がG20首脳たちの前（ただし大型のテレスクリーン）で、中国の悪口をぶちまけるどころか、「明日、時間を取って2人だけで話したい」と、「G20電話会談」の首脳たちが（スクリーンの映像で）見ている前で、トランプは話した。

トランプは、「習近平主席よ、アメリカのコロナ危機で、私を助けてくれ」と言っ

三帝会談（NYタイムズ紙が載せたコラージュ）　こちらは1945年2月に行なわれた本物のヤルタ会談

たらしい。これはトランプから習近平への、個人的な救援要請だ。

トランプは、ハッと気づいたのだ。コロナヴァイラス（ウイルス）攻撃は、自分の失脚を狙ったヒラリー派＝世界反共同盟（はんきょう）による細菌戦争（ジャーム・ウォーフェア）だ、と。自分自身への失脚攻撃だ。「自分が危ない」と、トランプは訴えた。このあと習近平とプーチンの電話会談が行なわれた。そしてそのあと、トランプがプーチンと電話で話した。

ということは、私、副島隆彦が予測、予言してきた「トランプ、習近平、プーチンの3皇帝（エンペラー）による『三帝会談（さんてい）』（世界3首脳会談）」の可能性が出てきた。

生物化学戦争を実行した米軍事強硬派

4月3日

中国の武漢（ぶかん）（ウーハン）で新型コロナウイルスをばらまいたのは、アメリカの軍事強硬派だ。首都ワシントンの近く、隣のメリーランド州の最大都市ボルチモアの北方にあるフォート・デトリック陸軍基地の生物兵器製造所で作った。「ユーサムリード」（USAMRIID　アメリカ陸軍感染症医学研究所）で製造した。それを武漢に持ち込んで撒(ま)いたのだ。第1感染者が市内を動き回ったことで「新型の奇妙な脳炎」が広がった。世界的蔓延(まんえん)（パンデミック　pandemic）とは、伝染病（エピデミック　epidemic）が、外国、世界にまで広がったもののことだ。

中国は人口1100万人の武漢市（広域都市。直轄(ちょっかつ)市に次ぐ第2級都市）を、疫病(えきびょう)対策で完全封鎖した。シャッター「ド」・アイランドにした。私が2月に中国のCCTV(シーシーティーヴィー)（中国中央電視台、中国国営放送）を見ていたら、「中国の化学戦争用の軍医、500人が結集」とあった。その師団長が画面に出てきて、完全防護服姿で「私たちが解決する。人民は安心してください」と話した。

2019年12月12日に疫病の蔓延が公表された。直後に、ハーヴァード大学の細菌・生物学の教授が、アメリカで逮捕された。武漢からボストンの空港に帰ったばかりのところだった。チャールズ・リーバー（60歳。ハーヴァード大学化学・生物学部学部長）である。この学者が中国側のウイルス学者たちと深くつながっていて、アメリカで改良された人工、人造の病原菌とかを中国に渡していたらしい。それとアメリカ海軍の情報部の中に、中国と連絡を取り合っている者たちがいる。

4月10日

アメリカの軍事強硬派が、核戦争（ニュークレア・ウォーフェア nuclear warfare）に次ぐ、2つ目の世界戦争である生物化学戦争を実行したのである。

そしてアメリカは、どうやら敗北した。中国は、武漢発のウイルス攻撃を防御、撃退しきった。中国の勝利である。このあとアメリカでは、自分が製造して撒いたウイルスが自分自身に襲いかかってきた。ニューヨークで広がったのは、ヨーロッパからのウイルスである。実行犯たちは武漢とは別個に、イタリア北部にも別のものを撒いたようだ。こちらは感染力が中国のものよりも少し強かったようである。

「ヒラリー派の米軍がやったな」と、トランプはすぐに気づいた。しかし、そんなことは口が裂けても言えない。言ったら自分の責任になる。これは「ブロウ・バック」である。ブロウ・バック blow back とは、ジェットエンジンの吹き戻し、逆噴射のことで、自業自得のことである。トランプは、自分は裸の王様（エンペラーズ・クロウズ　emperor's cloth　）であり、「中国だけではない。自分こそが狙われているのだ」とすぐに分かった。だから、習近平とプーチンに「助けてくれ」と発信した。

こういう大きな見取り図で世界政治を考えるだけの頭脳は、日本には存在しない。副島、なぜ、お前はそんなことが分かるのか、と私に聞かないでくれ。私はこうやって、苦労に苦労、我慢に我慢で世界政治の研究を30年間やってきたのだ。すでにたくさんの本に書いた。「主張に裏付け、証拠がない」などと、私に言うな。私の苦闘の30年が分からない、いや分かりたくない者たちに何を言うことがあるか。

こういう記事も出ているのだ。

「リークされた米保健当局の想定演習が現実に。混乱するアメリカ社会で国民が求めるリーダーは誰か」

米政府は２０１９年１～８月に、ある演習を実施した。「クリムゾン・コンテイジョン」（引用者注。赤茶色の感染）というコードネームで呼ばれたこの演習は、中国で発生した新型呼吸器系ウイルスが航空機の乗客によって世界中に瞬時に拡散されるという、恐ろしいシナリオだった。

（ニューズウィーク日本版　2020年3月24日）

このように、ニューズウィーク誌という、明らかにCIA（シーアイエイ）のエイジェント（国家スパイ）たちが半分以上、記者の肩書きで書いているニューズのとおりである。私は「ウィークリーCIA」と呼んでいる。それではなぜ、ニューズウィーク誌が、自己暴露するように、自分たちの犯罪をバラして、それを記事にするのか。この奇妙さは、ふつうの人々には分からない。これを私が解読する。

それは、CIAの内部が割れているからだ。この記事は、トランプ派のCIAの勢力からの反撃だろう。CIAやペンタゴン（米国防総省）の内部が、割れて、激しく闘っていることを示している。政治イデオロギーと宗教の争いは、骨肉（こつにく）の争いのように激しい。殺し合いだ。素人（しろうと）や堅気（かたぎ）の衆は近寄ってはいけない。政治の活動家という者は、こういうことで命懸けになる。

日本の検察庁内部も、激しい内部抗争（内ゲバ）をやっている。夫（河井克行。最近まで法務大臣だった）とともに、世界反共勢力の現役の幹部である河井案里参議院議員は、3月3日に都心のホテルに隠れているところを、広島地検と東京地検の特捜部検察官（法務省とも一体化している刑事法執行公務員）たちに強制捜索された。ホテルの部屋で案里議員は真っ裸にされて、スマホを取り上げられた。パンティの下の生理パッド（ちょっと前まではナプキンと言った。料理用と混同するのでこうなった）を自分で剥がして見せたという。のちに河井案里は、「自分で服を脱いで全裸になった。『膣の穴でもお尻の穴の中でも見ればいい』と検事たちに言った」と『週刊文春』で書かれた。そして2人は、国会の会期終了後、6月18日に逮捕された。

こういうことまでするのか、と呆れる。世界反共勢力が、日本の検察庁（法務省）の中にまで潜り込んで、検察官（国家エリートたち）どうしで激しい内部抗争の内ゲバをやっている。凄まじいものだ。昔の過激派学生運動で、過激派党派（セクト）どうしがやった内ゲバと同じだ。あのときも公安警察（政治警察）が、セクトの内部に潜り込んで、互いを殺し合わせたのだ。政治運動に関わる、ということは恐ろしいことである。だから、普通の人たちは、そういう危険な世界には近寄らない。

4月12日

日本は、首相と、都知事と、大阪府知事の3人が、世界反共同盟（死ぬほどの強い反共思想の信念の者たち）によって乗っ取られている国だ。そしてその内部で、彼らは分裂して対立している。普通の政治専門家や新聞記者たちぐらいでは、この構造は理解できない。その内部にいる者たちなら分かる。

ポーランドや、リトアニア、スウェーデンがそうだ。ドイツ（のAfD（アーエフデー）Alternative für Deutschland「ドイツのための選択肢」）やフランス、イタリアでも、世界反共同盟の政治勢力がいる。

私の願い、希望としては、そういう狂信（きょうしん）と妄執（もうしゅう）に少しだけ感染して、思想の伝染病に罹（かか）っている者たちが、「あ、ちょっと待てよ。もしかしたら、副島隆彦の言うことのほうが正しいかも。筋が通っている」と、気づいてほしい。そういう者たちが増えることを願う。彼らの脳に、微（かす）かに疑念というヒビが入るならば、この人たちは何とか救われる。私は、彼らをじっと観察しながら、事態の進行を見ている。「アメリカ軍が中国の武漢でコロナウイルスを撒いた、という愚かな陰謀論が広がっている」というニューズ報道が、4月になって出るようになった。ここで言っておきます。

いいですか。×「陰謀論」というコトバは、副島隆彦の本を読む人たちは使わないようにしてください。英語の conspiracy theory コンスピラシー・セオリーは、「権力者（たちによる）共同謀議（は有る）論」と言うようにしてください。「権力者共同謀議論」だ。これは副島隆彦からの厳重な命令です。この本で初めて私の本を読む人は、ビックリするだろうが。私はこういうことをずっと書いてきた。

4月15日

米軍（の中の特殊部隊＝スペシャル・フォーシズ＝ヒラリー派）が武漢に撒いたウイルスと、イタリアに撒いたウイルスは、別ものらしい。イタリアが、G7の西側同盟 the West すなわち自由主義同盟＝反共同盟を、いち早く裏切って、真っ先に中国の

「一帯一路」（ワンベルト・ワンロード・イニシアティヴ）戦略に同意し署名した。世界反共同盟としてはこのことへの怒りがあって、それでイタリアへの懲罰として、コロナウイルス攻撃をヒラリー派は断行した。

私は、感染症やウイルス学のことは何も知らない。だが、多くの記事や情報を読んでいて分かったことがある。それは早くも1月31日に、生物化学戦争用の中国軍の軍医たち500人が、中国全土5つの戦区から集合して武漢に入ったことだ。そして2月2日には、火神山（フォシェンシャン）病院という感染症用の病院（ベッド数1000床）を、10日間の突貫工事で作った。これでは足りない、と、このあと7つ同じような病院を武漢に作った。

これは野戦病院（field hospital　フィールド・ホスピタル）である。この中国軍の戦場軍医（war field sergeant　ウォー・フィールド・サージャン）たちは何をしたか。彼らは、次々と運び込まれる重症患者たちに対して、じかに血清を打ち込んだ。感染後、軽症で回復した者たちから採取した、血液から作った血清（毒消し。Serum　シーラム）を打ち込んだようだ。

それでも間に合わない場合は、血漿（blood plasma　ブラッド・プラズマ）までも注射したようだ。これで多くの重症者（重篤者）が回復した。回復者から採った血清と血漿をガンガン打ち込んだら、重症者が治ってしまった。武漢の感染者9万人のうち、8万人はすぐに回復した。

「この中国のやり方は、ワクチンの投与と同じだ。「坑ヴァイラス、坑ボディ」のうち、抗体（アンチ・ボディ）そのものを作るのがワクチンだ。それに対して、アンチ・ヴァイラス（抗ウイルス）の薬の開発なんか、まだるっこしい。抗ウイルス剤なんかでは即効性の効き目はない。重症者の血液中に抗体を作ることが重要なのだ。抗体ができている回復者の血液（ワクチンと同じ効果を持つ）を輸血することで、無理やりでも治してみせる、という堅い決意である。これが戦場の思想であり、野戦病院のやり方だ。

中国では2019年11月から、奇妙な肺炎患者が発生していた。それを武漢の町医者たちがSNSで発信して、警告を発していた。だが、武漢市の共産党のトップたちが、自分たちだけで対応しようとした。北京の中央政府に露見しないように。彼らは責任を問われて2月8日に免職、クビになった。李克強派である武漢市長だけは、初めから騒ぎ続けたので今も残っている。

1月19日に、鐘南山という有名な医師を中心にして、北京から感染症の専門の医師団が武漢に入った。そして李克強首相に現場から電話を入れた。事態の深刻さを報告した。それで中国のトップたちがただちに動き出した。中国の首脳は、これは米軍の人工ウイルス（細菌兵器）による攻撃である、と即座に判断した。

1月23日に、武漢市を完全に都市封鎖（ロックダウン lockdown ）した。そして1月27日に、李克強が現地に入った。その直後、前記のとおり、生物化学戦争用の軍医たちを各省から現地に集結させ、対応に当たった。この中国の国家体制の対処の機敏さに、世界中が驚いた。

それでも、まだ反中国で反共主義に凝り固まっている者たちは、「中国は対応を誤った。世界に実情を知らせることを、意図的に遅らせた」と非難している。

この何が何でも反中国（中国ぎらい）の、アメリカの政治勢力のことを「ディープ・ステイト」Deep State と言う。「陰に隠れた政府」という意味で、正式な大統領のトランプでさえ統制が利(き)かず、トランプに襲いかかって、彼を打ち倒そうとするぐらいの勢力であるらしい。この「ディープ・ステイト」を、トランプを支持する温厚で真面目な国民がひどく恐れている。

　この気合の入った中国の医療チームが、各国政府からの要請を受けて、コロナ対策で世界各国に出ている。キューバの軍医たちもヨーロッパに向かった。キューバの軍医、看護師（衛生兵(メディック)だ）たちは、患者が来たらその場ですぐにどんどん簡単な手術をして、病人を治す。これはカストロとチェ・ゲバラの思想で、戦場の医学である。

　前述した血清、血漿をガンガン打ち込むというやり方は、凄まじい戦場の医療だ。命を救わなければいけない若者たちを、何が何でも助けるという思想だ。これを「ストップ・ギャップ」stop gap と言う。「何が何でも、負傷者の傷口からの出血を止める。命を救う」というやり方だ。これが、中国が本気で、アメリカとの核戦争であれ生物化学戦争であれ、サイバー戦争であれ、本気で準備してきたことの表われだ。この中国の強さを、私たち日本人は、正面から考えたほうがよい。中国の悪口を朝から晩まで言っているような人は愚か者だ。

だから、今度のコロナ戦争は中国の勝ちだ。2月3日に、中国政府が武漢市（人口1100万人）を完全に都市封鎖（ロックダウン）して、クオランティーン（quarantine 検疫のための隔離）を断行したときに、新型コロナウイルスは、その発生地で除去された。だから中国の勝ちだ。この勝利は、おそらく100年単位で見たときの世界史（人類史）での勝利だろう。アメリカ帝国の敗北が、いよいよはっきりしてきた。

このことは、トランプ派がアメリカ国家の内部で、ヒラリー派と激しい闘いをやっていることとは別の、世界の動きを大きく見る見方だ。中国は、3月から新型コロナウイルスの治療薬（抗ウイルス剤）である「アビガン」（のジェネリック薬）の量産体制に入った。それに対してワクチン（抗体＝アンチ・ボディを作る薬）の開発、販売まではあと2年かかるらしい。

「マインド・コントロール」と「ブレイン・ウォッシュ」

6月30日

今も多くの人（すべての人か）が、街や人前に出るときにはマスクをしている。「自分の大切な人たちに、病気をうつしてはいけない」と、しおらしそうに偽善的な態度を取っている。自分が罹っているかもしれないので、それを飛沫とともに他人に感染させることを控えるためにマスクをしているのだという。

私は、外からのウイルスを遮断するためにしているのだとばかり思っていた。私のほうが、常識がないのだろう。だが、果たして何のために人々はマスクをするのか？と考えて私は戸惑う。あくまで自己防衛のはずなのだ。訳が分からん。

6月から世界中が、経済活動の再開に向かって、どんどん動き出している。街に出始めている。この島国の人々も、さっさと態度を変えて、「キャーキャー、コワイ、コワイ」をなかったことにするべきだ。

穏やかな保守の人たちがボソボソと話していた。「もう、こんな騒ぎは大概にしてくれよ」と。この態度が、人間として信用できる。9年前、2011年の「3・11大地震、大津波」の翌日から起きた福島第1原発の爆発事故のあとと、まったく同じだ。意地でも「コワイ、コワイ」と、まだ言い続けている。私が「このコロナ騒ぎは、福島原発事故のときとまったく同じだ。目に見えないから怖いと、みんな言った」と話したら、私に向かって、目を剝いて「違います」と叫んだ女性がいる。

人間は、集団で群れのまま、一瞬のうちに扇動され、洗脳される生き物だ。洗脳とは「マインド・コントロール」あるいは「ブレイン・ウォッシュ」のことだ。人間とは、こんなにも愚か極まりない生き物だ。動物以下だ。動物には共同幻想（mass illusion　マス・イルージョン）がない。動物には思想の集団感染による狂躁がない。動物は目の前に現われた脅威に対してしか怖がらない。人間は目に見えないものを勝手に怖がる。思想の感染を、英語でそのまま ideological infection 「イデオロジカル・インフェクション」と言う。私、副島隆彦は、この思想や宗教の、集団感染と蔓延研究の専門家だ。

人間（human　ヒト、人類、ホモ・サピエンス）というのは、思想の集団感染を起こす妙な生き物だ。一言で言えばキチガイ猿、発狂した猿だ。insane ape「インセイン・エイプ」だ。このことが、今回も私はよくよく分かった。だから不愉快極まりない。

本当に『狂ったサル――人類は自滅の危機に立っている』という本（サイマル出版会、1985年刊）を書いた学者がいる。A・セント＝ジェルジという人の著作で、國弘正雄氏の訳だ。私は、國弘正雄（1930－2014）と昔、会っていろいろと話した。英語がものすごくできた人だ。日米首脳会談（1975年、三木武夫首相とフォード大統領）のときに首相の通訳の仕事もした人だ。

急いで都市の経済活動を再開すべきである。日本は、外出禁止令は出さなかった。自主的な自己隔離と自粛をやらせた。しかし欧米では外出禁止令が出た。これは前述のとおり、Shelter in place シェルター・イン・プレイスと言う。「家の中でじっとしていなさい」という意味だ。軍隊がクーデターを起こしたときに発令される「夜間外出禁止令」とは異なる。こっちは curfew 「カーフュー」と言う。

政府による国民への余計な移動制限、規制をやめるべきである。さっさと商店街と商業を再開させないと、日銭収入で生きている飲食店をはじめとする商業が、売り上げ（収入）を失って倒産する。そこで働いている者たちの生活が悲惨なことになる。現になっている。

日本政府は連休明けの5月7日（木）から学校を再開させるべきだったのに、結局、再開したのは6月からだった。

ゲノム配列が一致しない「4％」とは

5月5日

私の眼力（がんりき）による判断で、今度の新型コロナウイルス（COVID-19）のことで「発生源（発生地は武漢）についての重要な研究」の論文がある。この1本の論文だけが、どう考えてもものすごく重要である。のちのちの議論も、必ずこの1本の論文を中心にして、なされるだろう。私は2月、3月、4月に合計100本ぐらいの論文（の梗概（アウトライン））を読んだ。自分は感染症やウイルス学は何も知らない。それでも評論文の形になったものであれば、時間をかけて徹底的に読み込む。そして厳しく値踏み評価する。それが知識人の責任であり運命だ。

それは、中国の知識人向けの高級誌である『財新（ざいしん）』Caixin（ツアイシイン）に載った評論文である。この1本の文にだけは、私はずっと執着している。最重要な評論文だと判断している（後掲する）。

この文を、日本の「東洋経済オンライン」が、2月12日という早い時期に、極めて上手な日本文に訳したものを載せた。この『財新』の記事は、「イン・ディープ」In Deep という、私が中国情報のニューズ・ソースとして重要視しているサイトに載ったものと重なっていた。おそらく「イン・ディープ」は、中国の国家情報部が日本向けに日本語に翻訳した記事の集合体である。国家スパイたちは互いに重宝（ちょうほう）し合っている。

以下にその重要な部分を抜粋して引用する。

「新型コロナウイルス「生物兵器論」は本当なのか
専門家見解「人工で製造することは不可能」」

「新型コロナウイルスは人間が造（つく）った生物化学兵器だ」という言説（げんせつ）（ディスクール）が、中国の内外で広まり始めている。

「共同謀議論者は科学を信じません。私は国家の専門機関が調査を行い、私たちの潔白を証明してくれることを望んでいます」。中国科学院武漢病毒(びょうどく)(ウイルス)研究所の女性研究員である石正麗(せきせいれい)は、2月4日、財新記者の取材に返信してこう述べた。

石正麗は、中国科学院の新興(新型の意味)および劇症ウイルスとバイオセーフティーの重点実験施設の主任や武漢ウイルス研究所新興感染症研究センターの主任、河北省科学技術庁「2019新型肺炎救急科学技術難関攻略研究プロジェクト」救急難関攻略専門家グループのグループ長を務めている。

新型コロナウイルス肺炎の感染拡大が厳しい状況を迎える中で、彼女の所属する実験施設が新型コロナウイルスの発生源ではないか、という「疑惑」の渦中へと巻き込まれた。

公開されている資料によれば、中国科学院が武漢に持つウイルス研究所は中国で唯一のバイオセイフティーレベルP(ピーフォー)4の実験施設を有している。石正麗は当該実験施設の副主任であり、バイオセイフティーレベルP(ピースリー)3の実験施設の主任だ。

新型コロナウイルスの感染が爆発的に拡大して以降、石正麗のチームは１月23日に、生物学論文のプレプリント・プラットフォーム（注。論文原稿を査読（さどく）の前にいち早く公開するためのサーバー）であるbioRxiv（バイオアールエックスアイヴイ）で、「新型コロナウイルスの発見とそれがコウモリを起源とする可能性について」という研究論文を発表した。

その研究の中で、新型コロナウイルスと、２００３年のＳＡＲＳ（サーズ）ウイルス（SARS-CoV）のＤＮＡ配列の一致率は79・５％、雲南（うんなん）キクガシラコウモリに存在するRaTG 13（アールエイティージーサーティーン）コロナウイルスとの一致率は、96％に達していることが明らかにされており、コウモリが新型コロナウイルスの起源である可能性が示されている。

（東洋経済オンラインに転載されたもの。注記は引用者　２０２０年２月12日）

このように、『財新』の記事には、「新型コロナウイルスは、どのようにして作られた（人工的に製造された）か」、それは「雲南キクガシラ（菊頭だろう）コウモリに存在するRaTG 13コロナウイルスとの（ゲノム配列が、新型コロナウイルスと）一致率は96％」あるとする。引用を続ける。

外部からの疑惑と非難に直面した石正麗は、2月2日、微信（WeChat）のモーメンツ（投稿欄）に、怒りに燃えて次のように反応した。

「2019年の新型コロナウイルスは、大自然が人類の愚かな生活習慣に与えた罰だ。私、石正麗は自分の命をかけて保証する。実験施設とは関係がない。不良メディアのデマを信じて拡散する人、インドの科学者の信頼できない、いわゆる学術的な分析を信じる人にご忠告申し上げる。お前たちの臭い口を閉じろ」と。

初めに石正麗とその実験施設について疑惑を呈した人々は、みな非専門家だった。だがその後、インドの科学者（たち）が、bioRxiv（論文のプレプリント・サイト）で公表した論文（現在は撤回されている）が新たな議論を引き起こした。

1月31日、インドのデリー大学とインド理工学院に所属する研究者たちが、

bioRxiv で「2019新型コロナウイルスの棘突起タンパク質に含まれる独特な挿入配列とエイズウイルスのＨＩＶ-1 dp 120、Gag タンパク質との間で見られる奇妙な相似性」という研究論文を発表した。

このニュースがまたもやネットユーザーの想像と臆測——新型コロナウイルスは、ＳＡＲＳウイルスとエイズウイルスを人工的に合成したものなのではないか、という疑いを引き起こした。

しかし、その後、このインドの研究者たちは研究論文を撤回している。

では、結局のところ、新型コロナウイルスが人工で製造された、遺伝子工学の産物である可能性はあるのだろうか？　財新記者は多くの専

©AFP＝時事

石正麗研究員（武漢のＰ４研究所で撮影）

門家や研究者をインタビューしたが、彼らの一致した判断は、「不可能」だ。

中国科学院の生物情報学分野の研究者の1人が、財新記者に述べたところによれば、新型コロナウイルスは「どう見ても天然のもので、人工のものである可能性はない」。その根拠としては、新型コロナウイルスの全配列の分析によって、その遺伝子配列が雲南キクガシラコウモリに存在するRaTG 13コロナウイルスと最もよく似ていることが明らかになっており、その一致率が96%に上ることが挙げられる。

ただし、この4%の遺伝子の差異は極めて大きい。人とマウスの遺伝子の相似度も90%に上るからだ。このような差異を人工的に補塡（ほてん）することは決してできない。

（財新記者　楊睿、馮禹丁、趙今朝　東洋経済オンライン　2020年2月12日）

以上の「財新」の文を、慎重に繰り返し読むと分かるのだが、「遺伝子解読（ゲノム解析）の突然変異」の部分である「残りの4%」のところが、おそらくアメリカの生物兵器製造所（研究所）が遺伝子組み換え技法で作った人工のゲノムgenome（ジェノム）部分だろう。

「中国の女性科学者が亡命」という謀略報道

5月6日

中国（とロシア）政府は、なぜか「新型コロナウイルスの人工、人造説は愚かである」という態度に、奇妙かつ徹底的に立ち始めた。これはアメリカとの衝突を、自分たちのほうから早めに回避する対応だ。今の世界体制をこのまま平穏に、「これはもう戦争だ」と言わずに穏(おだ)やかに収めてゆく、と決めたようだ。中国とロシアは、アメリカ国内に大きな政治対立があり、内紛があることを知っている。その中の凶暴な勢力が中国にコロナウイルス攻撃を仕掛けた、と知っている。だからこそ、これ以上の事態の悪化を防がなければならない、と判断した。極めて大人の態度である。

中（習近平）とロ（プーチン）は、このような戦略的な対応をしている、と私は冷酷に判断している。そのほうが賢明だ。世界中の反中国・反ロシア＝反共右翼勢力が何を言おうが、相手にしない。彼らは世界的に敗北しつつある。愚劣な欧米（西側）のメディア言論は放っておいて、世界の安定と経済活動（貿易、輸出入）の再開を優先して、そちらに舵を切ったのだ。このように私は判断している。

石正麗（シー・ツェンリ　Shi Zhengli）という中国人女性学者が、これからどういう発言をするかが重要だ。それを習近平（中国政府）も、じっと見ている。２０１８年からのファーウェイＧ５騒動のとき、ファーウェイ会長（ＣＥＯ）だった任正非の動きを、習近平が国家と対等の関係として、干渉（邪魔）せずに、じっと見守っていたのと同じに私には見える（思える）。それぐらい、今の中国は戦略的に冷静に対応している。

このように中国は戦略的対応をして、「自然界のコウモリからの、突然変異による新型コロナウイルスの発生（誕生）説」を意図的に採用している。世界中にいる最先端のウイルス学者たちのほとんどは、おそらくは正直で真面目である。彼らは大きな世界政治の闘いの真実を知らない、理科系の研究者たちだ。彼らが今後、どのようにして研究成果を積み上げてゆくか。コツコツと、証拠に基づきながら、どのように真実に至り着くか。それを見守ることが、政治権力者たちの優位性であり、高みであり、同時にサイエンス（science、シャンス。スキエンザ。ヨーロッパ近代学問）が正しく辿（たど）るべき道筋だ。私、副島隆彦もそう思う。

中国の研究者たちは、なんと1月末（コロナウイルスが騒がれ始めたとき）という早い時期に、世界的論文誌「ネイチャー」に「基準となる遺伝子配列」という論文を発表した。論文のタイトル（題名）は、“A new coronavirus associated with human respiratory disease in China”（中国におけるヒト呼吸器疾患に関連する新型コロナウイルス）である。この論文に載った遺伝子配列が、新型コロナウイルスを判定する世界的な基準なのである。中国は何も隠し立てしていない。

5月6日（7月加筆）

以下の情報を、私は昨日、知って驚いた。どこまで事実なのか、分からない。他の世界的なメディアはこれに追随していない。なぜか相手にしない。

一体、何が起きているのか？

私は昨日（5月5日）、ウイルス研究の最先端の研究者で、武漢のウイルス（病毒）研究所の副局長である石正麗（せきせいれい）（シー・ツェンリ　Shi Zhengli ）研究員に2月からずっと注目している、と書いた。

なんと、その彼女がフランスに逃亡して、パリのアメリカ大使館に政治亡命（ポリティカル・アサイラム）した、と台湾の新聞が報じている。この報道が真実かどうか、分からない。彼女は、武漢で発生した新型コロナウイルスの製造（？）に深く関わっている研究者とされる。しかし、彼女は「この新型のウイルスは、生物由来であって、断じて人造、人工 man-made（マン・メイド） ではない」と『財新』の記事で明言している。台湾の謀略（ぼうりゃく）的な反共新聞が、以下のとおり報じた。

「武漢ウイルス研究所のシー・ツェンリ（石正麗）研究員が、
1000の極秘書類を持参した上で、アメリカに「亡命」した」

最近、武漢ウイルス研究所の副局長である石正麗（シー・ツェンリ）氏が、家族と共に、「１０００近くの秘密文書」を持ち出した上で、ヨーロッパに逃亡し、アメリカに亡命を求めたと伝えられている。

中国の最高レベルの病原体（パソジエン）研究施設である武漢ウイルス研究所の主任研究員であるシー・ツェンリ氏が、中国からの逃亡に成功したことは、４月24日、アメリカ大統領の元上級顧問であるスティーブ・バノン氏により伝えられたとされる。シー・ツェンリ氏は、フランスにあるアメリカ大使館に亡命を申請したとされる。彼女の脱出を助けたのは、中国の公安部門の副局長であるスン・リジュン（Sun Lijun）氏だとされる。リジュン氏はその後、中国当局に逮捕された。

（自由時報　２０２０年5月2日）

この「自由時報」という台湾の新聞は、保守、反（はん）中国、反共（はんきょう）の立場である。台湾独立派の新聞だ。この記事の中に、スティーブ・バノンの名前が出てくる。バノンは、今では完全に、世界反共同盟側に取り込まれている人物だ。だから信用できない。台湾は、今回の新型コロナウイルス騒ぎで、米軍特殊部隊の最前線（フロントライン）の出撃拠点になった場所だ。反中国、反共の砦（とりで）で防波堤（bulwark　ブルワーク・アゲインスト・コミュニズム）だ。だから怪しいニューズ・ソースである。

事態は、ますます複雑怪奇になった。何が真実か、簡単には分からない。じっくりと考えながら、私たちは前に進んでゆかなければいけない。愚かな考えに扇動され、騙されることのないように慎重でなければいけない。

その後、石正麗は、アメリカ亡命などしていないことが判明した。彼女自身がSNSの動画配信で、「中国にいて研究を続けている」と話した。まったく台湾のメディアは、こういうヒドい報道をする。この記事の中に出てくる「彼女が持ち出した100近くの秘密文書」は、トランプ大統領とポンペイオ国務長官が「私は中国がコロナウイルスを研究所から漏（も）らした、という秘密文書を見た」と語って、「だから中国が元凶だ。中国に重大な責任がある」と大騒ぎした証拠そのものだ。

そして、トランプとポンペイオは赤っ恥をかいて黙ってしまった。中国に対して戦争を始めさせたい、と執拗（しつよう）に動いている台湾の反共謀略（はんきょうぼうりゃく）にトランプ政権を引（ひ）き摺（ず）り込もうとした策略だった。

初めて書く、私が福島原発事故で目撃したこと

5月25日

ようやく今日、東京の「緊急事態宣言（4月7日から）が解除」された。「宣言の解除」というのは、「緊急事態は終了。ハイ、もう終わりです」の意味だろう。今日の夕方の発表で、その瞬間から「解除」だそうだ。よかった、よかった。

どうでもいいから、もう終わらせてくれ、こんなバカ騒ぎは。こんな「家の中に引き籠もり」を、2カ月もやらされたのでは、たまらない。さっさと都市の中心部のお店と喫茶店（カフェ）を開けてくれ。お店やデパートを全部開けてくれ。そうしないと、私は出版社の編集者と打ち合わせができなくて、仕事にならない。私はこの4、5、6月に1冊も本を書いていない。収入にならない。

特に私が気に入らないのは、東京の中心の東京駅や新宿駅で、駅の中全体の店舗とかすべてに、白いプラスティックの布の上から透明のプラスティックを二重に被せ

ていることだ。それで封鎖都市（ロックダウン）の感じを、ＪＲがお役人様そのものでわざとらしくやるから、本当に不愉快だった。

ところが、このあとも自粛という名の自主隔離は、まだまだそこら中で続きそうだ。ヒステリー女たちが、たくさん、たくさん、居るままだからだ。政府が恐れているのは、この手のヒステリー国民が、何かをきっかけに騒ぎ出すことだ。

政府は、この強ばった国民の雰囲気が、「政府（安倍政権）の転覆につながりはしないか」と、懼れている。自分たちが国民を騙して脅して、恐怖（ショック・ドクトリン状態）に叩き込んだくせに。

どうせ、このあともマスク人間たちが、うじゃうじゃ、ずっと、居続けるだろう。もうこうなったら、「他の人と同じ空気を吸うのはイヤだ。他人の吸った空気と自分のを分けて欲しい。私は、私の空気だけを吸いたい」という人間（特に女）が出てきそうだ。国民の一部が、このあとも、ずっと「まだまだ安心できない。危険だ」という態度を取るだろう。私はうんざりだ。

5月26日（7月加筆）

私の家には、まだ安倍（アベノ）マスク2枚が届かない。他の人からもらった。私は、ガーゼのマスクが好きだ。幼いときからの持病の気管支炎のために、ガーゼのマスクをつけてきた。これを洗濯するたびにどんどん小さくなっていって、黄色くなって、傍目には何となく穢い。でも私は構わない。大きな顔の、口と鼻さえ最小限度に覆えれば、それでいいのだ。

国民全員に10万円くれる（配る）という、あの政府決定はどうなったのか。私にはまだ届かない。住民票で確認できるだろうに。私の周りの人たちも、もらっていない（6月下旬に届いた）。

私は毎年、税金を何百万円か取られている。納めている、などと言いたくもない。税金は取られる、ものなのだ。国家は無理やり税金を取る。契約（約束）に基づかないで取る。国家は強盗団である。官僚たちは暴力団である。それで、コロナ対策で10万円をくれる、という。まったくフザケルな、という感じだ。国家を廃止せよ。

おそらく商工業者（主に商店主たち）を中心に、政府は1店舗あたり２００万円ぐらいを払っている。みんな黙っているから、世の中に伝わらない。このことを書く新聞記事がない。

少し大きな商工業者には、すでにコロナ対策費から、おそらく数百万円ずつが出ている。中堅の企業なら、数千万円が出ている。それは商工会議所や商工会とか、業界団体に所属している経営者たちに対してだろう。あるいは、農協系の組合とかにも、だ。こういうことは新聞記事にならない。政府が、おカネをいくら国民に〝摑みガネ〟で払っているかは、記事にしない。大企業に対しては、法人税の減税（戻し税）の形で、数千万円から数億円ずつが払われる。

本当の貧困層（貧しい人たち）は、共産党と公明党（創価学会）の市議会議員たちが、必ず全国にいるから、その人たちを通して、県庁レベルとか市役所、町役場のそれぞれの自治体で、職員たちを使って救援金を配っているだろう。

ところが、こういう組織や団体に入っていない、ホントに助けてくれる団体に縁のない、無党派層の貧しい人たちと学生とかが、バイト切り、パート切りに遭って、大変なことになっている。親が貧しい学生は、都会に出てきても、バイト収入を断たれた。だから、どうやら大学の新入生の２割ぐらいが、中退しなければいけなくなっているという。文科省が必死に、彼らの分の学費を肩代わりとかしている。このことも記事にならない。

なぜ私が、このような推測をするかというと、９年前に福島で、いろいろと目撃したからだ。

福島第１原発の原子炉爆発、放射能漏れ（２０１１年3月15日まで）のあと、私はすぐに現地に行って、じっと見ていた。そうしたら、商工会議所とかの会員の経営者に対して、１億円とか２億円の迷惑料＝賠償金＝復興支援金が、密かに払われていた。

農家に対しても、１戸あたり数千万円の賠償金が東電（東京電力）から支払われていた。私はそれとなく、じっと観察していた。地元紙の「福島民報」にも、そういうカネのことは書かれていない。福島県でも原発から遠く離れた会津の観光業界の土産物屋とか一般の企業にまで、風評被害に遭ったことで東電（本当は政府の税金）から数千万円の賠償金が払われていた。これが自民党政治というものだ。それ以外にも、いろいろの援助金が地元に落ちた。

それで多くの男たちが、パチンコ屋に入り浸り、ソープランドに行った。外車のディーラーが何軒もできた。東電からの迷惑料、補償金で、高級外車を乗り回す羽振りのいい者たちが出現した。

それでは、ふつうの福島県民は、一体いくらもらったか。1人あたり、子ども（小学生とか）は30万円だった。大人は、たしか20万円だった。表面上は、この1回こっきりだった。このお金は、福島原発から20キロ圏外の住民たちに対してだ。20キロ圏内では、また別のそれぞれの生活保障と賠償金があっただろう。表面上は、いつもこうだ。本当のおカネの話は、しないことになっている。

ところが、あの大津波の被害で家も壊れ、死人が出た人たちには、「これは自然災害ですから」と、数百万円の「お見舞い金」しか出なかった。自然災害の被害に対しては、火事の延焼、類焼と同じで、1円も出ない。これが法律だ。その出火に、故意または重過失がなければ、出火の責任は誰も負わない。

9年前、私は福島の現地の活動本部にいた。今、思い出すことがある。活動本部がある脇の国道288号線を、大きな10トントラックが列をなして通った。そのトラックの横っ腹には、十勝とか日高と書いてあった。そこからやってきた和牛の畜産農家、業者のトラックだろう。それに地元飯舘の有名な和牛たちを積んで、北海道に運んでゆくトラックの列だったのだ。

国道沿いに作った活動本部だから、私は目撃した。原発事故から3カ月経った6月のことだ。福島の和牛を、そうやって北海道に持っていって、十勝牛、日高牛として屠殺（食肉加工）して市場に出して、日本人がみんなで食べてしまったのだ。

「学問道場」の福島復興活動本部

福島の放射能で汚染された牛肉を食べるのはイヤだ、というヒステリー国民が、当時は山ほどいた（おそらく人口1・2億人の3割の、3000万人ぐらい）。今もまだいる。自分がバカだ、と言われることに、自分で勝手に苛立っている。何か自分のことを、科学知識をたくさん知っている頭のいい人間だ、と思い込んでいる。もう周りは相手にしない。

その他、私が現地で、現場で目撃した多くの事実がある。私は、このことを書いたのは今が初めてだ。私には、もの書き、言論人としての深い決意と、人よりも数十倍強い眼力（がんりき）がある。それらの事実は、自分にできる限り書いて残す。今回、新たにコロナ・バカ騒ぎが加わった。私は不愉快なまま生きた。それでずっと『狂人日記』と題して書き続けた。

第4章

暗い未来を見通す

『暗黒日記』を読む

6月15日

清沢洌が戦時中にこつこつと書いた『暗黒日記』（岩波文庫）を丁寧に読み返している。清沢洌は私が心底、尊敬できる知識人だ。清沢は戦争中に、憲兵や特高の家宅捜索を警戒しながら、この『暗黒日記』を書き続けた（P25で前述）。しかし彼は、外務省や内閣情報部も一目置く、高級インテリだったから、特高警察（内務省警保局の下部組織）も簡単には手を出せない。むしろ、清沢洌が持っている欧米からの情報や知識を彼らも欲しがった。

清沢は、昭和20年3月10日の東京大空襲で下町が大きな被害を受けたことも、目撃者として書いている。品川や山の手に逃げてくる悲惨な様子が描かれている。自分の家も焼かれそうになった。そして清沢は、5月に肺炎で死んでいる。

この本は、彼の死後、戦後9年経った１９５４年（昭和29）に、東洋経済新報社から出版された。私はこの本を読み直しながら、今の自分の歳になって初めて、清沢たち日本の本当に温厚な自由主義者（リベラリスト。これはドイツ語からの訳。英語にはリベラル liberals しかない。無いものは無い）が、開戦の前から戦争に言論人として反対し続けてどれぐらい苦労したか、をずっと丹念に調べていた。

清沢の同志で生涯の盟友は、東洋経済の中興の祖、石橋湛山である。それと中央公論社の社主の嶋中雄作である。石橋は優れた人物で、本当の日本の愛国者で、温厚な自由主義者であり、汚れた政治家や軍部を嫌う堅実な経営者（資本家）たちの厚い支持を受けて頑張り通した。このことが今の日本人には、ほとんど知られていない。官僚たちが実質で支配した政治を、強く批判した。「官僚主義」というコトバは、石橋湛山が使い始めたのだ。

© 毎日新聞社

清沢洌（1890－1945）

石橋湛山は、１９５６年（昭和31）の12月初めに、自民党（前の年に保守合同＝日本民主党と自由党が合同して自由民主党ができた）の総裁選挙に勝って首相に就任した。ところが、翌年の1月末には政治謀略で病床に倒れ、たった50日で辞任して、このあと大ワルの岸信介が首相になった（1957年2月末）。アメリカの穢い勢力が岸を選んだ。周知のように、この岸信介の孫が安倍晋三である。日本は、すっかり政治が汚れた国になった。このときから日本人は、自分たちの運命を自分たちで決めることができない国にされた。

石橋湛山は言論人であり、出版人であり、経済政策の専門家である。多くの優れた、そして高潔な日本の有識者たちが、仲間、同志として彼を支えていた。それが、たったの2カ月弱で病床に就き、首相の座を悪人たちに明け渡した。

ここには、明らかにアメリカの意志が働いている。アメリカは、日本人が自分の足で立ち、自分たちの力で自分たちの運命を決めてゆこうとする、日本の自主独立路線を葬り去り、「お前たちは自立なんかしないで、アメリカ帝国の属国のままでいろ」と、押さえつけた。

1972年（昭和47）7月に首相になった田中角栄は、そのあとすぐの9月25日、国交回復の話し合いに中国へ行く。その3日前に、末期症状の石橋湛山を病床に見舞

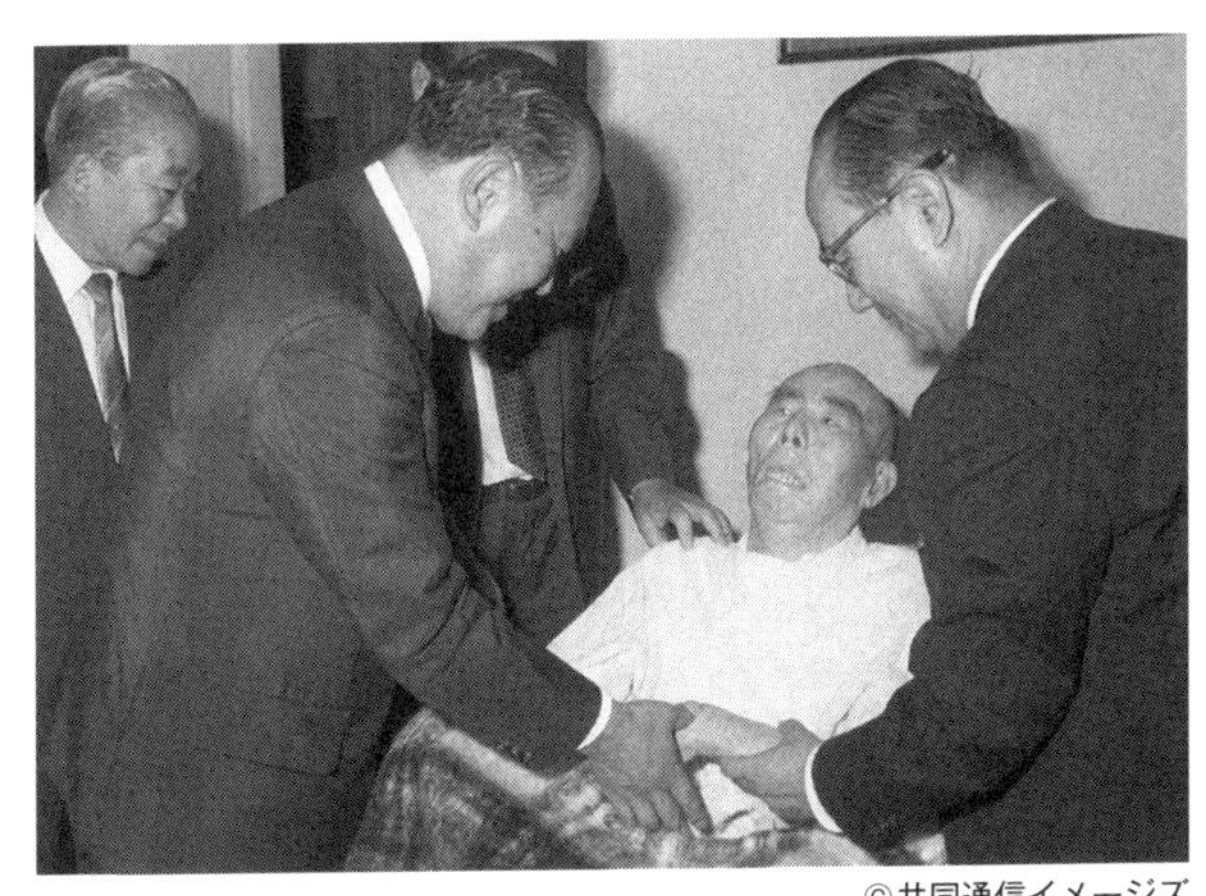

訪中出発前に石橋湛山を見舞う田中角栄（1972年9月22日）

った。そして、「湛山先生。今から、私は中国に行って参ります」と、湛山の手を握りしめながら挨拶した。湛山は、もうほとんどボケて、痩せ衰えた病床から、うんうんと嬉しそうに頷いた。

この石橋湛山と盟友で同志だった清沢洌のことを、日本人は、もうほとんど誰も知らない。清沢は敗戦の直前の1945年（昭和20）5月に、肺炎で死んだ（55歳）。世田谷の自分の家にも空襲の焼夷弾が降ってきた。その火を家族とともに消し止めている。その直前まで、ずっと『暗黒日記』（本当は『戦争日記』）を書き続けた。知米派の一流ジャーナリストの文章は、さすがにすばらしい。簡潔で要を得ている。

日本国民は、あの苦難の戦争中を、どのように生き延びたか（兵隊は、外国の前戦でたくさん死んだ）。この本を読むと本当によく分かる。くだらない学者たちの、ヘンに偏（かたよ）って、見てきたようなウソの歴史本なんか読まないで、この清沢の『暗黒日記』を読みなさい。そうしたら本当の日本の、私たちの歴史が分かる。

再度書くが、終戦（本当は、敗戦）の年の、1945年3月10日の東京大空襲のことも書いている。空襲で焼けただれ、ぼろぼろになって、目を真っ赤に腫（は）らしながら浅草や両国（りょうごく）のほうから逃げてくる人々の悲惨な姿を、ずっと書いている。この一晩だけで10万人が死んだ。今から日本人は『暗黒日記』を読んで、再評価しなければいけない。その先頭に副島隆彦が立つ。全3巻の評論社版があるが、1冊にまとまった岩波文庫版（1990年刊）がある。

6月×日

清沢洌は日記に、1943年（昭和18）に入ってからの日本の苦しい戦局を、ずっと書き留めている。その主な内容を列挙する。

1．前年（1942年）の6月5日に、ミッドウェー海戦で、日本海軍は主力の空母4隻を失っていた。このことは国民には知らせず誤魔化（ごまか）した。それでもまだ1942年中は、戦争の帰趨（きすう）が見えなかった。そしてニューギニアの先のほうのガダルカナル島へ米軍が上陸（1942年8月7日）した。ここで8カ月が過ぎている。日本軍には餓死者が出た。

1943年の2月1日から7日に、日本軍はガダルカナル島からの撤退を完了した。これが大きな敗北であることを、日本の指導者たちも清沢たちも分かっていたが、それでもよく分析できていない。大本営（だいほんえい）がウソの発表をするからだ。

日記でこの箇所は2月11日。「石橋湛山が、吉田茂（よしだしげる）ら外交官に、すきやきを振る舞う。僕も旧知なり」と書いている。ここで三土忠造（みつちちゅうぞう）という外務省の幹部が、「今朝（10日）の『ガダルカナルよりの転進（てんしん）』の大本営発表を、三回読みかえしたが……何を意味するからよく分からぬと言った」と書いている。

2．1943年4月18日、ソロモン島上空で、戦線視察に行った山本五十六・連合艦隊司令長官が撃墜されて死んだ。清沢は5月23日の日記に、こう書いた。「山本神社が長岡（ながおか）に建つ由（よし）。……情勢の正しい見通しは出来ない。その選択が大東亜戦争最大の弱点だ」

3．アッツ島の守備隊の全滅。1943年5月29日、アリューシャン列島の一つ。「今朝の新聞でみると、最後には百数十人しか残らず、負傷者は自決し、健康者は突撃して死んだという。これが軍関係でなければ、……社会の問題となったろう。……」

4．7月15日。米軍がシシリー上陸。7月25日「ムッソリーニついに辞す。イタリー脱落。……皆遠慮して時局の談話には触れず。ただ困ったというようなことを繰り返すのみなり」……9月8日、イタリア（バドリオ政権）が無条件降伏した。

5．10月19日。「毎日新聞」に徳富蘇峰と本多熊太郎（元ドイツ、中国大使）の対談が載る。「開戦の責任は、何人よりもこの二人である。文筆界に徳富、外交界に本多、軍界に末次信正、政界に中野正剛――これが四天王だ。徳富も本多も客観性皆無」

6．10月27日。「午后の夕刊にて中野正剛の自殺を知る。僕は、……ショックを受けた。彼に、ローマにてご馳走になれるからかもしれず。……僕は、かれを憎んだ。かれの思想が戦争を起したのである。……かれは生一本であった。かれは開戦すれば、米国は直ちに屈服すると公言していた。これは謬りであった。……」

中野正剛は、東条内閣を倒す（倒閣）クーデターのようなことを計画していた。が、東条派からの先制攻撃で、中野の東方会（政治団体）百数十名が検挙、拘束されていた。中野は追い詰められて、自宅で割腹自殺した。しかし、これは「死ね、死ね」と強制されての自殺だ。殺されたも同然だ。

7. 1944年2月1日。マーシャル群島に米軍が上陸。6日、日本軍6800人、全員玉砕（ぎょくさい）。2月17日、トラック島に米軍の大空襲。『暗黒日記』では、「2月5日。マーシャル島に、敵上陸したの旨（むね）発表。これは既（すで）に3日に外務省畠（ばたけ）の人から聞いたところ。石橋和彦（いしばしかずひこ）君がクエゼリンにいるはずで、果たして無事であるかどうか」

ずっとこういう感じで、淡々と日記は書かれている。

戦争に反対した清沢の同志たち

6月×日

石橋湛山の東洋経済新報社は、今も日本銀行の真向かいにビルがある（日本橋本石町（にほんばしほんごくちょう））。そこでは清沢の友人、同志たちがいくつか並行して研究会を主催していた。戦争中もずっと集まって、毎週のように順番に研究発表をし合っている。

参加した主な人名を列挙する。彼らが清沢の同志である。

馬場恒吾（ジャパンタイムズ編集長。戦後、読売新聞社社長も）
嶋中雄作（中央公論社長）
谷川徹三（哲学者）
長谷川如是閑（評論家）
芦田均（戦後すぐ、吉田茂の評判が悪い時期に7カ月だけ首相をした）
小林一三（東宝、阪急電鉄、東京電燈＝のちの東電などの創業者。清沢は小林から、東電の社史を書くことを頼まれていた）
片岡鉄兵（横光利一、川端康成たちと同じ新感覚派の作家。左翼になり、転向）
三木清（京大の哲学者。私の先生の久野収の先輩。敗戦間近に策略で捕まり獄死）
田中耕太郎（戦後、最高裁長官になった）
高橋亀吉（経済ジャーナリストで優れた政策家）
正宗白鳥（小説家）
徳田秋声（彼も自然主義の文学者）
蠟山政道（東大の行政学の権威）

柳田國男（民俗学者）
正木ひろし（弁護士）

彼らが、戦争になる前からずっと戦争に反対した。戦争中もしぶとく細々と粘り強く論陣を張った。多くの企業経営者（資本家）たちが応援した。優れた経営者（資本家）たちの応援で、東条英機の軍事政権（東条は参謀総長を兼ねた）に反対する言論を、締め付けに遭いながら続けた。彼ら日本の自由主義者たちは英米や外国の動きをよく知っており、優れた見識を持っていた。だから、外務省も内務省警保局の特高警察も彼らを必要としていた。今、私が書いている世界情報を、ペロペロ盗み読みしている国家情報官たちと同じだ。

戦後の日本の官僚政治の支配者であった吉田茂でさえ、清沢の友人だ。1930年のロンドン海軍軍縮（ディスアーマメント）会議のとき、吉田は外務省の交渉官として、清沢の博学な知識に頼った。1945年の敗戦の間近には、大磯の吉田の屋敷の床下に憲兵が潜り込んで、吉田たちの会話を盗聴した。この吉田茂でさえ「外国と和平の工作をしている」（事実、していた）と疑われて、捕まり拘留されている。石橋湛山や嶋中雄作から、「清沢さん。あんたは、特高や憲兵隊に狙われているよ。日記を書くのはやめた方が良い」と再三、言われたことが、この『暗黒日記』の中に出てくる。

清沢洌の最大の敵は徳富蘇峰だ。明治、大正、昭和の３代を生きた、生き方上手のワルの権化で言論人の親分だった。山縣有朋が伊藤博文を満州のハルピン駅頭で自分の銃殺隊に射殺させた（１９０９年10月26日）。そのあと、山縣が日本の最高検権力者になった。徳富蘇峰は、この山縣有朋とその子分の桂太郎にベッタリとくっついて、御用言論人の筆頭になった。

この徳富蘇峰が、戦争突入後、大政翼賛会の大幹部になった。「日本文学報国会」、「大日本言論報国会」の両方の会長に就いた。戦争に敗けると、徳富蘇峰は戦犯容疑で自宅拘禁になった（81歳）。だが、その後も厚かましく、皇国史観（天皇中心の国家思想）を書き続けて生きた。

徳富蘇峰も、それより27歳下の清沢も、前記の反戦思想の自由主義者たちも、みんな15歳ぐらいで、当時のハイカラさんであるキリスト教に近寄り、同志社大か内村鑑三の無教会派の聖書講読運動に強く憧れた（内村は教会にしなかった）。それから一人ひとり渡米して、苦学しながら英語を身に付け、国際的な教養人として戻ってきて、日本で一流の言論人になった人たちだ。

私、副島隆彦が、彼ら真実の戦争反対の勢力（左翼ではない。温厚な保守だ）の系譜を今に蘇らせなければならない。そうしないと、誰も、もう今の日本の知識人が彼らの努力と苦闘を知ることができない。

私たちは騙されてはいけない。コトバだけ激しい、奇妙に歪んだネトウヨ（反共右翼）のコトバにも。その反対で左翼思想の亡霊を引き摺り、過去の怨念を持つ急進リベラル派（人間絶対平等主義。無条件での弱者の味方）の言論にも騙されないようにしないといけない。今、私たちにとって大事なのは、清沢洌や石橋湛山、嶋中雄作らの穏健で温厚な、本当に穏やかな保守の思想（反共右翼ではない）から多くを学ばなければいけない、ということだ。

しかし穏健な保守といっても、私たちは言論においては、徹底的に反権力、反体制でなければならない。愚劣な権力（者）にすり寄るようなことをしてはいけない。

私たちは、つねに慎重で注意深く、用心深くなければいけない。おかしな人間が近づいてきたら警戒しなければいけない。目先の軽薄な判断で、放射能やコロナウイルスを、ほんの僅かでもコワイ、コワイ、キャーキャーと騒いではならない。そのとき、一気に自分の脳を搦め捕られてしまうのだ。

人間の命、人間の値段

6月25日（7月加筆）

新型コロナウイルスで死ぬのではない。肺炎（pneumonia　ニューモニア）で死ぬのだ。医者たちは、そのように死亡診断書の死因を書く。毎年、肺炎でものすごい数の人が死ぬ（おそらく日本だけで、年間130万人の死者のうち20万人ぐらい）。老人、高齢者、超高齢者（80歳台、90歳台、100歳。ここだけで1100万人。100歳以上は7万人ぐらいいる）を、どんどん死なせなければいけない。介護施設とはそういう場所なのだ。
「おじいちゃん、いつまでも長生きしてね」は、もう死につつあるコトバだ。人間は齢を取ったら、どんどん死んでゆくべきだ。若い人たちに迷惑だ。過剰な人命尊重思想は害毒である。キリスト教（特にローマ・カトリック教会）が作った、巨大な偽善の思想だ。「人の命（すなわち生と死の問題）は神だけが取り扱える」という教えを作った。

イタリア人は、皆このことを知っている。表面上は、お膝元であるカトリック教会の重圧に屈しているように見えるが、みんな「もううんざりだ」と思っている。だからイタリア人たちは、コロナ騒ぎのときも海岸や海辺に出て、大勢で寝そべっている。「コロナでの死者が2万人を超えた」とか発表している。イタリアでは、連絡を取ったら介護施設まるごとで老人たちが死んでいた。こういうことが、たくさん起きている。この事実をイタリア国民は静かに受け入れた。

日本では2月からのコロナ騒動で、２、３、４月の丸3カ月で３５０人が死んだ、と発表した。6月25日の時点では、９６３人となっている。そのほとんど（おそらく

80％以上）は、超高齢者か、糖尿病などの症状を持った人だ。3カ月で350人、5カ月で963人の死者数は、よく考えたら笑い種の数字だ。感染者が1万8000人とか言うが、ほとんどの人は回復した（1万6000人以上が回復と発表された）。今も集中治療室（ICU　インテンシヴ・ケア・ユニット）に入って、生死の境をさ迷っている若い人が本当にいるのか。本当の真実をどこも報道しない。

例年のインフルエンザでも、死にかかるぐらいキツい場合が多い。インフルエンザは、風邪（cold　コールド）とは違う。本当に死ぬ。これと今度の新型コロナが、どれほど異なるというのか。「人間の命は、無限に？　尊い」という洗脳思想をなんとかしなければいけない。動物（牛、豚、トリ）を年間600億頭も殺して食べているのに。鶏が300億羽、豚が200億頭、牛を100億頭ぐらい殺している。どうして人間の命だけが、そんなに尊いのだ。地球人口は現在77億人だ。今も毎年7000万人ぐらいずつ増えている。日本は、先進国だから減り出している。2046年（20年後）には1億人を割るらしい（現在は1億2600万人）。

こういう事実、真実を、日本で報道する正直で勇敢なメディアがない。リベラル派を気取っている連中以外でも、人間の命や人間の値段（価格）のことになると、途端におじけづいて皆、口ごもる。人命軽視主義者だ、と周りから思われる（見られる）のがイヤなのだ。リベラル派は、何が何でも弱者の味方で、人命尊重だ。私はもう大嫌いだ。貧しい者の味方なんか、口で言うばかりで何がそんなに正義なのか。人は皆、どうせ死ぬ。高齢者から先に、どんどん死なせなければいけない。こう書くと、私はまた狂人扱いされる。

5つの「正義」

6月×日

清沢洌が一時は憧れた内村鑑三の思想とは、どういうものだったか。内村鑑三の一番弟子は、有島武郎（P95で書いた）である。内村鑑三は、聖書講読会という宗教運動をやって、ものすごく尊敬されていた。内村が最も期待したのが有島で、自分の後継者だと思っていた。ところが、有島が人妻の編集者と心中したものだから、キリスト教の「自殺してはいけない」という罪を犯した、と激しく有島を非難した。

内村鑑三は「非戦（ひせん）」（non combatant　ノン・コンバタント）の思想を唱（とな）えたことで知られている。この「非戦」は、「反戦」ではない。国がやる戦争そのものには反対しない。ただ、自分は戦闘員にならない、武器を取らない、人を殺さない、という思想だ。

日露戦争（1904年〜1905年）のとき、内村の支持者（信仰者）の中から、「先生、私は戦争に行きたくないから、徴兵拒否して山に逃げます」と言う人たちが現われた。このとき内村は、「いや、そういうこと（逃亡）はするな。戦争に行きなさい」と言った。「戦争に行って死んできなさい」とは言わなかった。実際に死ぬ人が出た。すると内村は、「死ぬことによってあなたは救済された」と言った。

だから内村の「非戦」とは、戦争に反対しているわけではない。「戦わない」「戦争に加担しない」とは言うけれども、国家体制そのものには逆らわない思想だ。すなわち体制肯定の保守の思想である。

内村鑑三の日本的に優れたキリスト教理解は、その「信仰」と「正義」について、

「ジャスティス・イズ・ディサイデッド・バイ・フェイス・アローン」"Justice is decided by faith alone." を最も重視したことだ。これはキリスト教の本当の創始者であるパウロのコトバだ。さらに遡って旧約聖書にも、その原型があるらしい。

この「正義は信仰のみによって決定される」は、古くは「信のみによって義となる」と内村鑑三たちによって唱えられてきた。自分たちのキリスト教の信仰の深さそのものが、この世の正義（ジャスティス）を決定づけるのだ、という思想だ。この世の正義は自分の信仰のみによって決められる、という考えで、それ以外は認めない。この世の中の普通の正義や、裁判所で決める判決のようなものは正義ではないのだ、とする思想だ。これを「パウロ型の正義」と言う。

このパウロ型の正義は、古代ギリシャ時代（2500年前）からある「5つの正義」という考え方の中の、たかがその一つ（3番目）に過ぎない。

2500年前から、人類（人間）は「正義は5つ有る」と知ったのだ。このことを、私が日本人にはっきりと教えなければいけない時代が来た。私は仙人さまを気取りながら、日本人に、この「5つ有る正義」を教える。

人間世界を貫く 5つの正義 justice（ジャスティス）
（についての大きな考え方）の表

1	**ポリスの正義　Polis（ポリス） Justice** 公共（パブリック）のために闘い、身を献げる。 ノモス Nomos の法とも言う。
2	**世俗（せぞく） Secular の正義** アリストテレスが決めた 分配する正義 distributive（ディストリビューテイヴ） justice。 正義とは、正と不正をつり合わせること。 市民（金持ち）どうしの紛争解決のルール equilibrium（エクリブリアム） 平衡（つり合い）による正義。
3	**聖職者（坊主）たちの中での正義** **Ecclesiastical（エクレシアステイカル） Justice** Holy Divine 神の国の正義 パウロは言った。「信仰のみによって正義は決定される」 Paul said, "Justice is decided by faith alone."
4	**矯正する正義　Corrective（コレクテイヴ） Justice** 持たざる者（貧困層）にも分け与える正義。福祉の正義。 倫理学としてカール・マルクスの思想（社会主義）の正義も ここに入る。 イギリスの Equity Court 公平裁判所（小作争議を扱う）
5	**強欲（蓄財、利権）の正義　Oicos（オイコス）の正義** ユダヤ人 Jews だけが利息を取る貸付けを認められた。 徴税という国家権力もここ。お金の爆発的増殖力。 オイコス（かまど）の法則と正義。この「台所の掟」から経済、オイコノミーの法則が生まれた。奴隷を売買する正義。従業員のクビを切る自由。

前ページ（P173）の表に示した。この「5つの正義」のうちの一番下にある、5つ目の正義が「竈（かまど）の正義」、「オイコス Oicos の正義」と言う。「オイコス」とはかまど、台所のことだ。ここから「オイコノミー」、「エコノミー」oeconomy が生まれる。

かまどで煮るもの、炊くものがなくなったら、もう食べさせるものがないから、家から出て行け、いなくなってくれ、という冷酷な経済法則（エコノミック・ツール）の思想である。会社や工場で売り上げが減って儲からないので、余っていらなくなった従業員を辞めさせる、あるいは奴隷として売りに出す。これがオイコスの正義だ。残酷な正義なのだが、この世に実在する。

この冷酷な経済法則は、戦争に負けて食糧がなくなって、300万人の人が餓死するしかないようなときに、「それも仕方がないじゃないか」と、冷酷にそばでじっと見ている態度だ。さらには竹中平蔵（パソナ会長）のような男たちが、奴隷売買を認める。竹中は、現代の奴隷売買である人材派遣業という手配師ピンハネ業のトップだ。民間人がやる人材派遣業は、本当はかつて労働基準法が禁止していた違法行為なのだ。

それが1985年に労働基準法を骨抜きにして、労働者派遣法を作った。アメリカ型の人材派遣（売買）業を認めた。それに体を張って反対した旧労働省の次官たちは、犯罪者として逮捕された。35年前のことだ。敗戦後の労働基準法は、アメリカ型のデモクラシーを日本に入れたニューディーラーたちが作った立派な法律だった。それが叩き壊されて、今の人材派遣業が栄える時代になった。

女衒という仕事がある。女性を売春宿に斡旋して売るのが仕事だ。英語でキャンプ・フォロワーズ camp followers と言って、兵隊たちの後ろをぞろぞろついてゆく者たちのことだ。軍隊の陣営、軍営（砦）で、兵隊たちを相手に売春斡旋業と博奕の金貸し業をやる。これが女衒だ。

女衒（キャンプ・フォロワーズ）は、女たちを荷馬車に乗せて軍隊の隊列の後ろからくっついてゆくのである。博奕の金貸しの他に、麻薬（負傷の鎮痛剤から始まった）の資金を兵隊たちに貸した。それから、兵隊たちが戦場の戦闘で盗んできたものを買う。これを故買と言う。兵隊たちは戦利品を処分できないから、女衒が彼らから買い取るのだ。このキャンプ・フォロワーズをユダヤ人たちがやった。

女の売買は、奴隷の売買と同じであり人身売買だ。「仕方がないじゃないか。それが人間の歴史だ」と言えばそのとおりだ。この奴隷を売買する正義や従業員のクビを切る自由という正義も、この中に実在するのだ。それが表（P173）の「5つの正義」の中にある。ただし、5つのうちの一番下の、穢らしい正義だ。

6月×日

「5つの正義」について、続けて書いておく。

表の一番上にある立派な正義は、「ポリスの正義」Polis justice だ。人間は公共（public　パブリック）すなわち都市国家のみんなのために立派な行動をし、指導者となり、そして外敵と戦って死ぬ、身を献げるという正義である。この「ポリスの正義」が1番目の立派な正義だ。

2つ目の正義は、「分配的正義」（distributive justice　ディストリビューティヴ・ジャスティス）と言う。哲学者のアリストテレスが言った。「正と不正がある場合、それをよく考慮して取引、駆け引きして平衡（へいこう） equilibrium（エクリブリアム） にしなさい」という正義だ。平衡の正義は「世俗（せぞく）の正義」「 Secular（セキュラー） の正義」とも言う。だから裁判制度である。裁判で、「あなたのほうは500万円払いなさい」とか裁判官に判断されて言われる。500万円を払う力があるから、払って問題を解決する。だからこの2番目の平衡（エクリブリアム）の正義は「金持ち喧嘩（けんか）せず」で、金持ち（上級の市民）どうし、企業どうしの間でしか通用しない。このお金の分配の正義は、上層市民たちにしか通用しない。

3つ目は昨日の日記に書いた、僧侶、坊主、信仰の世界の正義だ。

そして表の4つ目の正義が「矯正（コレクション）する正義」で、これは貧乏人を助ける正義である。カール・マルクスが作った社会主義の思想も、この正義に含まれる。これは倫理(学) ethics の問題だとされる。

イギリスに公平裁判所（ Equity Court　エクイティ・コート　Equity Law　エクイティ・ラー）という考えと制度がある。この裁判所は貴族や金持ちの間の金銭のトラブルを解決する。先の「平衡の正義」（2つ目）とは違う。貧困者たちや小作人(貧農（ペザント）)が領主と争うのを取り扱って裁く。

貴族（ピアー）やシチズン citizen と呼ばれる豊かな人たちの裁判は、コモン・ロー裁判所 Common Law Court で行なう。下層の奴隷の農奴（サーフ）たちは裁判の対象にもならない。裁判なんかできない。それよりも少しだけ上の小作人たち（耕作地を持っている）が暴れると、農民一揆（いっき）である。この一揆や争議を、何とか国家が関わって裁定しようとするのがエクイティ・コートだ。「国家は貧乏人層の面倒を見ろ」という正義が、矯正する正義（コレクティヴ・ジャスティス）である。

そして、最後の5つ目が、前述したかまど（オイコス）の正義だ。これは金持ち、資本家の強欲（greed グリード）の精神を認めるということでもある。蓄財と利殖を認める。国が国民から強制的に税金を取り立てるのも、この「かまどの正義」に属する。徹底的に現実肯定の現実主義（リアリズム）である。国家は、国民との間に契約もないのに、無理やり、強制的に税金を取る（徴収する）。泣き叫ぼうが何しようが取り立てる。

この「5つの正義（ジャスティス）」を何とか理解できれば、日本人もかなり大人になると思う。私は、この「5つの正義」、「正義はこの世に5つ有るのだ」を勉強して考え詰めて、この1枚の表にするのに30年ぐらいの年月をかけた。私の一生涯の学問業績の一つだ。ここまで簡潔に、明瞭にしてみせることで、私はこの日本土人（どじん）に恩返しをしているのである。

これからの生き方と死に方

7月×日

前述したごとく、日本では年間だいたい１３０万人が死んでいる。新生児は90万人産まれている。だから、日本国民の数は毎年40万人ぐらい減っている（純減）。本当は１００万人ぐらいずつ減っている。

ところが、政府の人口問題基本調査（国立社会保障・人口問題研究所）は、１億２６００万人という数字を全然変えない。おそらく、中国人や東南アジアの人間が日本人と結婚して、子どもを作って日本国籍を取得する。これで年間１００万人の人口減を穴埋め（あなう）めしているようだ。単純に計算しても毎年40万人が減っているのに、減っていないことになっている。

やがて年間200万人ずつ減ってゆくだろう。老人が死んでいく。老人が死ぬのは当たり前だ。しかし妙な人命尊重思想があるものだから、事実を報道しない。お年寄りが死ぬのもかわいそうだ、とか長生きしていつまでも生き続けるべきだ、という考え方を勝手に肥大させている。私が「もう、さっさと超高齢者を死なせなさい」と書くと、この一言で狂人扱いである。

どうせ誰もが死んでゆくわけで、私だってあと10年で死ぬ。そして孤独死という死に方をすると思う。病院で家族に看取られて、医者もいて息を引き取るなどという死に方を、私は希望していない。この崖の上の家で、偏屈人間として一人でヨロヨロしながら暮らしているが、老人食の簡単な最小限度の栄養と水を摂って生きている。そしてある日パタッと倒れて死ぬ。それがあるべき人間の死に方だ。動物の一種として死ぬ。

そのとき、七転八倒して苦しんで死ぬか、コロッと死ねるかは、その人の運命であってどうにもならない。人は死ぬ瞬間を自分で選べない。救急車で担ぎ出されていくこともあるだろう。私は、孤独死(ソリタリー・デス)こそは人間のこれからの生き方、死に方である、と思っている。誰かひとり、自分の死体（遺体）を片づけてくれる近親者がいてくれればいい。葬式も仏僧（坊主）もお墓もいらない。

ホームページ「副島隆彦の学問道場」http://www.snsi.jp/

ここで私は前途のある、優秀だが貧しい若者たちを育てています。

会員になって、ご支援ください。

★読者のみなさまにお願い

この本をお読みになって、どんな感想をお持ちでしょうか。祥伝社のホームページから書評をお送りいただけたら、ありがたく存じます。今後の企画の参考にさせていただきます。また、次ページの原稿用紙を切り取り、左記まで郵送していただいても結構です。

お寄せいただいた書評は、ご了解のうえ新聞・雑誌などを通じて紹介させていただくこともあります。採用の場合は、特製図書カードを差しあげます。

なお、ご記入いただいたお名前、ご住所、ご連絡先等は、書評紹介の事前了解、謝礼のお届け以外の目的で利用することはありません。また、それらの情報を6カ月を越えて保管することもありません。

〒101-8701（お手紙は郵便番号だけで届きます）
祥伝社　新書編集部
電話03（3265）2310
祥伝社ブックレビュー　www.shodensha.co.jp/bookreview

★本書の購入動機（媒体名、あるいは○をつけてください）

＿＿＿＿新聞の広告を見て	＿＿＿＿誌の広告を見て	＿＿＿＿の書評を見て	＿＿＿＿のWebを見て	書店で見かけて	知人のすすめで

★100字書評……日本は戦争に連れてゆかれる

名前

住所

年齢

職業

副島隆彦　そえじま・たかひこ

評論家。1953年、福岡市生まれ。早稲田大学法学部卒。外資系銀行員、予備校講師、常葉学園大学教授等を歴任。米国の政治思想、法制度、金融・経済、社会時事評論の分野で画期的な研究と評論を展開。「民間人国家戦略家」として執筆・講演活動を続ける。『預金封鎖』『恐慌前夜』をはじめとする「エコノ・グローバリスト」シリーズ（小社刊）で金融・経済予測を的中させつづけている。近著に『もうすぐ世界恐慌』（徳間書店）などがある。

ホームページ「副島隆彦の学問道場」
URL　http://www.snsi.jp/

日本は戦争に連れてゆかれる
——狂人日記2020

副島隆彦

2020年8月10日　初版第1刷発行

発行者……………辻 浩明
発行所……………祥伝社しょうでんしゃ
〒101-8701　東京都千代田区神田神保町3-3
電話　03(3265)2081(販売部)
電話　03(3265)2310(編集部)
電話　03(3265)3622(業務部)
ホームページ　www.shodensha.co.jp

装丁者……………盛川和洋
印刷所……………堀内印刷
製本所……………ナショナル製本

Printed in Japan ISBN978-4-396-11609-5 C0230

〈祥伝社新書〉
歴史に学ぶ

565
乱と変の日本史
観応の擾乱、応仁の乱、本能寺の変……この国における「勝者の条件」を探る
東京大学史料編纂所教授 本郷和人

545
日本史のミカタ
「こんな見方があったのか。まったく違う日本史に興奮した」林修氏推薦
国際日本文化研究センター教授 井上章一
本郷和人

588
世界史のミカタ
「国家の枠を超えて世界を見る力が身につく」佐藤優氏推奨
井上章一
小説家 佐藤賢一

578
世界から戦争がなくならない本当の理由
戦後74年、なぜ「過ち」を繰り返すのか。池上流「戦争論」の決定版！
ジャーナリスト 名城大学教授 池上 彰

570
資本主義と民主主義の終焉
平成の政治と経済を読み解く
歴史的に未知の領域に入ろうとしている現在の日本。両名の主張に刮目（かつもく）せよ
法政大学教授 水野和夫
法政大学教授 山口二郎

〈祥伝社新書〉
経済を知る

498
総合商社 その「強さ」と、日本企業の「次」を探る
なぜ日本にだけ存在し、生き残ることができたのか。最強のビジネスモデルを解説
専修大学教授 **田中隆之**

478
新富裕層の研究 日本経済を変える新たな仕組み
新富裕層はどのようにして生まれ、富（とみ）のルールはどう変わったのか
経済評論家 **加谷珪一**

394
ロボット革命 なぜグーグルとアマゾンが投資するのか
人間の仕事はロボットに奪われるのか。現場から見える未来の姿
大阪工業大学教授 **本田幸夫**

503
仮想通貨で銀行が消える日
送金手数料が不要になる？ 通貨政策が効（き）かない？ 社会の仕組みが激変する！
信州大学教授 **真壁昭夫**

601
不動産で知る日本のこれから
データを駆使して景気動向を分析。そこから浮かび上がる、日本の姿とは
不動産コンサルタント **牧野知弘**

〈祥伝社新書〉
語学の学習法

312
一生モノの英語勉強法
京大人気教授とカリスマ予備校教師が教える、必ず英語ができるようになる方法
「理系的」学習システムのすすめ
京都大学教授 鎌田浩毅
研伸館講師 吉田明宏

405
一生モノの英語練習帳
短期間で英語力を上げるための実践的アプローチとは？ 練習問題を通して解説
最大効率で成果が上がる
鎌田浩毅
吉田明宏

383
名演説で学ぶ英語
リンカーン、サッチャー、ジョブズ……格調高い英語を取り入れよう
青山学院大学准教授 米山明日香

426
使える語学力
7カ国語をモノにした実践法
古い学習法を否定。語学の達人が実践した学習法を初公開！
慶應義塾大学講師 橋本陽介

102
800字を書く力
小論文もエッセイもこれが基本！
感性も想像力も不要。必要なのは、一文一文をつないでいく力だ
埼玉県立高校教諭 鈴木信一